KB196627

탐내지 마라, 한국땅 독도

2010년 '다케시마의 날' 행사를 열고 있는 일본 시마네현에서 항의하고 있는 저자 성백진 서울시의회 의원

탐내지 마라, **한국땅 독도**

초판 1쇄 발행 _ 2017. 11. 10.

편저자 _ 성백진

발행처 _ (주)해맞이미디어
등록 _ 제320-199-4호
주소 _ 서울시 관악구 남부순환로 1507
전화 _ (02)863-9939
팩스 _ (02)863-9053
전자우편 _ yko0305@naver.com

ISBN 978-89-90589-30910
가격 12,000원

좋은책 만들기 30년 해맞이미디어는
격월간 문학교양지 〈내마음의 편지〉,
정치 외교 시사 안보 종합지 〈민주통일21〉,
지적재산권의 대변지 〈발명특허뉴스〉〈발명특허신문〉등의
매체를 아우르고 있습니다

탐내지 마라, 한국땅 독도

성백진 편저

해맞이미디어

탐내지 마라, 동해의 첫 섬 독도는
매일 대한민국 아침을 열고 있다!!

순박한 백의민족이 사는
기름진 이 땅에서 벌였던 서른여섯 해 노략질
그 관문 독도를 징검다리로 삼지 않았더냐
뉘우침도 없고 사과도 모르는 사람들에게
무얼 더 묻겠느냐
이웃나라 잘못 둔 이 나라가 흘린 눈물을,
찢어진 심장을 이제 더 건드리지 마라
1904년 훔쳐간 독도
1910년 스캐핀 677호*로 그만 된 것 아니냐
죽도록 사죄하고 빌어도 모자랄 터
강탈한 독도 울며 겨자 먹기로 내놓았거든
또 다시 넘보는 짓은 하지 마라
무조건 항복하고 전범국으로 고개 숙이던
너희 과거사를 부정하는 것이다.
영토확장의 야욕이 지나치면,
남의 땅 넘보기를 멈추지 않으면,

너희가 쏜 화살이 부메랑이 되어

돌아옴을 보게 될 것이다

군국주의 망령은

동해의 푸른물 속에 수장하라

태평양 거센 파도 속으로 날려 보내거라

너희가 꿈꾸던 대동아 공영이 아니라,

평화 아시아, 나아가 지구촌 번영의 꿈을

실현하는 길이다.

탐내지 마라!

동해의 첫 섬, 독도는

매일

대한민국의 아침을 열고 있다.

*연합국최고사령부는 SCAPIN 제677호에 의하여 1946년 1월 29일 독도를 주한 미군정에 이관하였다. 그리고 1948년 8월 15일 대한민국이 수립되자 자동으로 독도를 포함한 모든 영토를 반환받아 회복한 것이다. 연합국최고사령부는 이어서 1946년 6월 22일 SCAPIN 제1033호 제3항에 일본인의 어업 및 포경업의 허가 구역을 설정하여 일본인의 선박 및 승무원은 금후 북위 37도 15분, 동경 131도 53분에 있는 독도의 12해리 이내에 접근하지 못하며 또한 동도(同島)에 어떠한 접근도 하지 못함을 지령하였다.

우리땅 독도를 탐내지 마라!

독도는 역사·지리·사회·문화·국제법상으로도 한국영토가 분명합니다. 그 이유는 우리 한반도의 유구한 역사속에 있었기 때문입니다.

신라 지증왕 때 서기 512년에 이사부 장군이 정벌한 이래 고려 조선으로 이어지는 우리나라의 실질적 지배하에 있었던 역사적 기록이 현존하고 있으며, 특히 근대에 와서는 선각자 어부 안용복과, 독도의용수비대장 홍순칠과 대원들, 독도에 뼈를 묻은 거주자 최종덕씨 등 뜻있는 분들이 목숨을 걸고 온몸으로 지켜낸 대한민국 고유의 영토입니다.

일본의 영토확장 야욕은 대한민국 독도를 일본땅이라고 우겨서 빼앗기로 작정하고 날강도짓을 하고 있으니 군국주의의 망령이 되살아난 것이 아니고 무엇이겠습니까!

일본 정부와 시마네(島根)현은 2017년 2월 22일 이른바 '다케시마(竹島·일본이 주장하는 독도의 명칭)의 날'을 계기로 독도 영유권을 확보하고자 대대적인 홍보활동을 벌이고 있으며 지도와 간행물에 독도나 동해로 표기한 경우를 발견하면 신고해 달라고 당부하는 글을 70여 개 나라 재외 공관 홈페이지에 올렸다고 교도통신이 보도했습니다. 또, 초등학교와 중학교 사회 과목에서 '다케시마와 센카쿠 열도(중국명 댜오위다오)는 일본 고유의 영토'라는 내용을 가르치도록 의무화했습니다. 현재 초중학교 사회 교과서에도 독도와 센카쿠 열도가 일본 땅이라고 돼 있지만, 법적 구속력이 있는 학습지도요령에 이런 내용을 명시하는 것은 처음입니다.

일본은 1905년 만주와 한국의 지배권을 두고 벌인 러일전쟁 중, 일본은 당시 무인도인 독도에 해군병력을 배치하고 독도를 다케시마로 일본영토에 편입하였습니다. 그러나 조선 정부는 이보다 먼저 1900년(고종 37년)에 이미 강원도 울진현에 속한 울릉도와 석도(石島 독도)를 묶어 독립된 군으로 전 세계에 선포하였습니다(대한제국칙령 41호).

2차 대전 후 일본의 침탈지(강제로 점령하여 빼앗은 땅)반환을 선언한 카이로 포츠담 선언에도 독도는 한국 땅이며, 2차대전 종전 시 일본주둔 미군 정청 사령관 맥아더의 '맥아더 라인'에도 독도는 분명 한국 땅으로 기록되었습니다. 특히나 일본기관이 제작한 일본 내에서 발견되고 있는 고지도 속에서도 독도는 분명히 한국 땅이라고 표기되어 있으며 누구보다 일본이 더 잘 알고 있음에도 한국이 일본의 고유영토를 강점하고 있다고 허위 사실을 주장하며 왜곡된 역사교육을 계속하는 일본은 양심을 저버린 행위임을 알아야 할 것입니다.

일본의 영토 확장에 대한 야욕은 대한민국 국민들을 각성하게 하였습니다. 독도기념관을 건립하게 하였고, 독도여행을 더 많이 하게 하였고, 교실에서는 독도의 역사를 가르쳤으며, 국민들을 더욱 결집하였습니다.

지난 2010년 2월 22일 서울시의회 독도수호특별위원회(위원장 이정찬)와 시민단체 대한민국 독도수호연대(회장 최재익) 운영위원장으로 활동하던중 일본의 다케시마 날(2.22) 제정에 항의하기 위해 항의단을 꾸려 일본에 갔다. 당시 일본군중들이 대한민국 항의단에게 삽자루, 돌 등을 던져 생명의 위협을 느낄 만한 저항도 받았고 일본경찰로부터 억류되는 사태가 발생하였습니다.

서울특별시의회 독도수호특별위원회 소속 의원들과 2011년 8월 1일 독도

2010년 2월 '다케시마의 날' 행사를 열고 있는 일본 시마네현청에서 일본정부의 역사왜곡과 독도강탈 음모의 즉각 중단을 촉구하는 규탄대회를 가졌다. 이날 행사는 국민의례, 하토야마 총리에게 보내는 성명서 전달, 결의문, 만세삼창으로 이어졌다.

영유권 야욕에 눈이 어두워 한국의 울릉도 방문을 감행하려는 일본의 자민당 소속 중의원 신도 요시타카, 이나다 도모미, 참의원 사토 마사히사의 입국을 저지하기 위하여 김포공항 입국장에 나가 규탄대회를 열었습니다.

선조들이 목숨 걸고 지켜온 소중한 영토를 고스란히 자손만대에 물려주어야 하므로 온 국민이 독도지키기운동에 전력하여야 하며 이를 실천하기 위한 독도 바로알기, 독도 알리기, 독도 지키기 운동에 적극 매진해야 할 것입니다.

온 국민이 합심하여 일본을 뛰어넘는 대한민국이 된다면 일본은 지금처럼 노골적인 태도를 취할수 없을 것입니다.

한민족의 역사와 함께해 온, 말할 필요도 없는 우리땅 독도이지만, 독도에 대한 애끓는 심정 누를길 없어, 다시 한 번 증명하려 합니다.

2017년 11월 편저자 성백진

독도(천년기념물 336호)

지번
경상북도 울릉군 울릉읍 독도리 1~96 (우) 799-805
Dokdo-ri, Ulleung-eup, Ulleung-gun, Gyeongbuk, Korea

도로명 주소
서도: 경상북도 울릉군 울릉읍 독도안용복길 3 (주민숙소)
3, Dokdoanyongbok-gil, Ulleung-eup, Ulleung-gun, Gyeongsangbuk-do, Korea
동도: 울릉군 울릉읍 독도이사부길 63(독도 등대) 55 (독도경비대)

독도는 동도와 서도 2개의 큰섬과 89개의 부속 도서로 이루어져 있다.
동도 71,757.05㎡ + 서도 87,848.52㎡ = 185,059.01㎡
기타 돌섬 및 암초 면적 : 25,453.44㎡ 총면적 : 187,554 ㎢

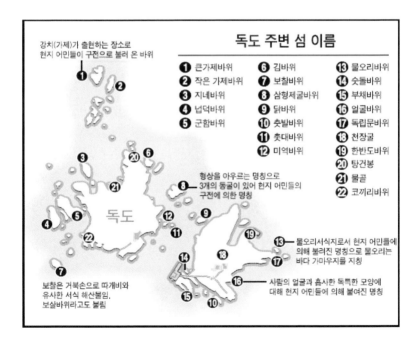

독도 주변 섬 이름

강치(가제)가 출현하는 장소로 현지 어민들이 구전으로 불러 온 바위

❶ 큰가제바위
❷ 작은 가제바위
❸ 지네바위
❹ 넙덕바위
❺ 군함바위
❻ 김바위
❼ 보찰바위
❽ 삼형제굴바위
❾ 닭바위
❿ 촛발바위
⓫ 촛대바위
⓬ 미역바위
⓭ 물오리바위
⓮ 숫돌바위
⓯ 부채바위
⓰ 얼굴바위
⓱ 독립문바위
⓲ 천장굴
⓳ 한반도바위
⓴ 탕건봉
㉑ 물골
㉒ 코끼리바위

독도

형상을 아우르는 명칭으로 3개의 동굴이 있어 현지 어민들의 구전에 의한 명칭

⓭ 물오리서식지로서 현지 어민들에 의해 불려진 명칭으로 물오리는 바다 가마우지를 지칭

⓲ 사람의 얼굴과 흡사한 독특한 모양에 대해 현지 어민들에 의해 붙여진 명칭

보찰은 거북손으로 따개비와 유사한 서식 해산물임. 보살바위라고도 불림.

독도망양대

독도해양경비대

대한봉 오르는 계단

한국령 암각바위

등대와 방송탑(상) / 독도영토표식과 앞에 보이는 서도(하)

11

Contents

제1장
보물섬 독도

1. 독도의 생성과정과 연도

독도는 울릉분지의 북동쪽 끝부분에 위치하고 있으며 화산섬인 동도와 서도로 이루어져 있다. 울릉도에서 독도를 거쳐 이사부해산까지는 동해 바다에 띠처럼 이어진 섬과 해산이 있는데, 이의 탄생에 대한 가설이 많이 등장하고 있다. 그 중에서도 하와이나 갈라파고스 군도처럼 맨틀상승류와 열점에 의해 탄생했다는 가설이 유력하다. 독도의 생성 과정을 살펴보면 맨틀과 핵의 경계인 약 3,000㎞ 지하에서 뜨거운 마그마가 지표면으로 솟아 올랐다. 그러자 지각과 만나는 곳인 열점이 서서히 움직이고 있는 지각판을 뜨겁게 달구면서 폭발적인 화산 활동이 일어났다. 이때 동쪽부터 차례로 이사부 해산, 심흥택 해산이 만들어진 후 독도 해산이 만들어졌고, 맨 마지막으로 울릉도가 만들어졌다고 할 수 있다. 울릉도는 독도가 화산활동을 멈춘 지 100만년 뒤에야 분화를 시작했지만 주요 암석이 알칼리 계열 조면암이고 화학적 구성도 매우 비슷한 것으로 밝혀졌다.

국토지리정보원의 자료에 의하면, 울릉도는 약 140만년 전부터 1만년 전까지 5단계에 걸쳐 화산활동을 거치며 탄생하였지만, 독도는 이보다 훨씬 빠른 460만 년 전부터 수중화산의 활동으로 탄생하였다.

독도의 주된 암석은 마그마로부터 분출된 화산암류이며, 형성 시기는 초기 화산 분출물에 대한 연대 측정을 하지 못하여 정확히 알 수 없으나 해수면 하부 화산암에 대한 연대 측정 결과 460만 년, 해수면 상부에 있는 화산암의 경우 270~250만 년으로 측정되었다.

독도는 섬 전체가 용암과 화산 쇄설암으로 이루어져 있는데, 250만년 전 화산 활동이 멈추었을 때 독도는 지금보다 수십 배는 컸을 것으로 추정된다. 하지만 응회암과 각력암이 미처 굳기 전에 단층과 주상절리를 따라 오랜 세월동안 거센 파도의 침식 작용으로 빠르게 무너져 내렸고, 220만 년 전에 동도와 서도 두 개의 섬으로 나누어 졌다. 오랜 세월 파랑 침식으로 무너져 암석이 내리면서 현재는 화산 분화구 바깥 테두리의 일부가 남아있는 것이라고 볼 수 있다.

독도의 형성과정 연구는 여전히 진행 중이라고 한다. 심해저 굴착을 통해 해산에서 직접 채취한 암석의 연대와 지자기 측정 등을 통해 해산들의 생성 원인을 정확히 밝힐 수 있는데, 수심 2,000m가 넘는 심해에서 이런 작업을 하기에 어려운 점이 있다.

동해남부 독도부근의 해저지형(한국해양연구원, 2000)

수면 위로 보이는 독도는 해산의 아주 작은 일부로 꼭대기만 보이는 일명 '빙산의 일각'이다. 동도와 서도도 밑에는 지름 10km인, 한라산보다도 더 거대한 2000m의 화산체가 자리 잡고 있다. 울릉분지의 크기는 동서방향으로 약 200km, 남북방향으로 150km 정도이며 분지의 해저면 깊이는 1,000m 에서 2,300m 정도로 북쪽으로 갈수록 깊어지는 양상을 보이고 있다

2. 독도의 지리적 위치

　행정구역상 독도는 경상북도 울릉군 울릉읍 독도리 1~96 (우) 799-805 도로명 주소는 서도 주민숙소는 경상북도 울릉군 울릉읍 독도안용복길 3 이며, 동도 등대는 울릉군 울릉읍 독도이사부길 63, 55는 독도경비대이다. Dokdo-ri, Ulleung-eup, Ulleung-gun, Gyeongbuk, Korea
　독도는 동도와 서도 2개의 큰섬과 89개의 부속 도서로 이루어져 있다.

　총 면 적 은 187,554 ㎢, 지목 은 임야로 구분되 어 있다. 1997년 11월에　완공된 독도접안시설도 1998년 8월 중에 지적공보에 등록 되었다.

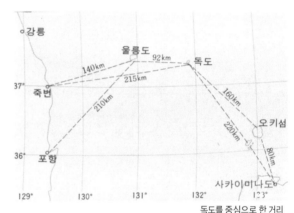

독도를 중심으로 한 거리

　울릉도에서　독도 약 87.4 km(49해리), 독도와 경북 죽변과 가장 가깝고 약 216.8㎞로 한국의 섬 가운데 본토에서 가장 멀리 떨어진 한국 영토의 동쪽 끝 섬이다. 또한 일 본 본토에서 본다면 시마네현 히노미사키(日御崎) 해안에서 북서쪽 208㎞ 지점 일본에서 가장 가까운 시마네현의 오끼섬에서 약 157.7㎞ 울릉도에서 는 조망이 가능한 반면 일본 오끼섬에서는 불가능하다. 울릉도 도동을 거 쳐 독도까지 가는데 소요되는 시간은 약 포항 3시간, 후포 2시간50분, 묵호 2시간30분 거리에 있다.

3. 독도의 해저 지형

　물속을 들여다보면 독도는 '망망대해에 홀로 외로이 떠 있는 섬'이 아니다. 높이 1,000m가 넘는 산 4개가 그다지 멀지 않은 곳에 자리를 잡고 있는 것. 바닷속 산은 해산(海山)으로 불린다. 이 해산엔 안용복, 김인우, 이사부, 심흥택 등 울릉도와 독도를 지키는 데 큰 역할을 한 선조들의 이름이 붙여져 있다. 해양조사원이 정밀측량을 통해 다양한 해저지형들을 찾아내면 지명위원회가 이름을 붙이는 데 독도 주변 해산에 붙은 이름엔 영토수호 의지가 담겼다.

국립해양조사원이 바닷속 지형을 정밀하게 측정한 자료를 보면 독도는 결코 작은 섬이 아니다. 전체 몸집의 아주 일부만 물 밖으로 나와 있기 때문이다. 해수면 밖으로 나온 독도는 동도와 서도, 89개의 부속 섬으로 이뤄

독도해저 빙산 수심 1천m, 면적 울릉도의 6배

져 있다. 높이는 서도가 168.5m, 동도가 98.6m이고 둘레는 두 섬을 합해 5.4㎞, 면적은 18만7천554㎡에 불과하지만, 물속에 있는 부분을 포함하면 독도의 전체 높이는 2,068m로 한라산 1,950m보다 100여m 더 높다.

　독도는 아랫부분이 넓고 윗부분은 좁은 원추형으로 생겼다. 해양조사원이 독도 전체 높이의 중간쯤 되는 수심 1천m 이내 기준으로 산출해보니 둘레는 약 110㎞, 면적은 412㎢였다. 울릉도의 육상 부분 면적(72.56㎢)의 약 6배다.

3개의 해산 중 독도를 중심으로 한 제1독도해산, 중간에 위치한 제2독도
해산, 오키뱅크와 접한 해산을 제3독도해산이라 부른다. 제1독도해산 정상
부는 수심 60m에서 200m정도이며, 경사도가 2° 미만의 매우 완만하고 평
탄한 지형을 이루고 있고, 가운데 동도와 서도가 수면위로 올라와 있다. 동
도와 서도를 중심으로 인접해저는 매우 얕은 수심을 보이며, 노출암이나 수
중 돌출암 등이 불규칙하게 산재되어 있다.

독도 접안부두 인접지역은 5~8m의 분포를 보이고 있으며, 접안부두의
북동쪽 끝부분 주변은 3~4m로 보다 얕아진다. 제1독도해산의 해저지형
은 수심 200m까지 거의 평탄한 파식대지를 형성하고 있으며 정상부의 폭
은 최대 약 13㎞에 이른다. 특히, 노출암, 간출암(조석작용에 의하여 해수
면에 잠기거나 노출되는 암초) 및 수중 암초는 서도의 남서 인접해저에서 비
교적 많이 발달되어 있다.

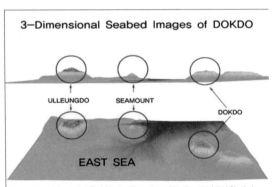

국립해양조사원이 정밀측량한 자료를 토대로 만든 독도 주변 3차원 해저
지형도(국립해양조사원 제공)

제1독도해산 중
수심 200m에서
1,400m까지는 경
사도가 약 16°로
서 급하게 깊어
지며, 그로부터
2,000m까지는 7°
로 보다 완만한 경
사를 보인다. 독도
해산의 주변에는 많
은 해저곡(valley)들이 형성되어 있으며, 이 해저곡들은 심해의 울릉분지
로 연결된다.

4. 독도의 지질과 지형

독도는 높이 2000m가 넘는 화산성해산(火山性海山)이다. 울릉도와 더불어 그 산정이 해면상에 노출되어 있지만, 산정이 해면하에 있는 해산도 울릉도 동방 38km 지점에 1개, 독도 동남방 45km와 50km 지점 에 각 1개씩 있어 이들 5개의 해산이 동서로 일련의 해산열(海山列)을 형성하고 대마해분(對馬海盆)의 북쪽 경계를 이루고 있다.

독도를 구성하는 암석은 하부는 현무암질집괴암이고, 상부는 조면암질집괴암과 응회암이 서로 층을 이루고 있어 울릉도 지질구조와 비슷하며 조면암, 안산암, 관입암 등으로 구성된 암석학의 보고로 지질학적으로도 중요하다. 또한 해저산은 오랜 세월동안 파식 및 침강작용에 의해 원래의 모양을 간직하기가 매우 어려운데, 독도는 해저산의 진화과정을 한눈에 알아 볼 수있는 세계적인 지질유적이기도 하다.

독도 해안 암석

독도의 형성 시기는 암석의 절대 연령측정 결과에 의하면, 독도는 지금으로부터 약 460만년 전부터 250만년 전 사이인 신생대 3기의 플라이오세(Pliocene epoch)기간의 해저 화산활동에 의해 형성되어졌으며, 이 시기는 울릉도(약250만 년 전~1만 년 전)및 제주도(약120만 년 전~1만 년 전)의 생성시기보다 앞선 시기이다.

이러한 독도는 원래 동도, 서도가 한덩어리인 화산섬이었다. 몇 십만년의 세월이 흐르며 바닷물에 의해 침식작용과 바람에 의한 풍화작용을 거듭하며 원래 부드러운 성질의 돌이 천천히 깎여 들어갔다.

독도는 해저 밑바닥에서 형성된 벼개용암과 급격한 냉각으로 깨어진 부스러기인 파쇄각력암이 쌓여 올라오다가 해수면 근처에서 폭발적인 분출을 일으켜 물위로 솟다가 대기와 접촉할 때 생기는 암석인 조면암, 안산암, 관입암 등으로 구성된 암석학의 보고라고 한다. 해저산이 수면위로 모습을 드러내는 경우는 드문 예이며, 또한 오랜 세월동안 파식 및 침강작용에 의해 원래의 모양을 간직하기가 매우 어려운데, 독도는 해저산의 진화과정을 한눈에 알아볼 수 있는 세계적인 지질유적이라고 한다.

독도 화산암

한국해양연구소 동해지질 연구팀은 지난 1994년부터의 조사를 바탕으로 과거 12만년 동안에 동해주변에서 12번의 화산폭발이 있었던 것으로 확인되었다. 연구에 의하면, 동해의 해저에는 일본분지, 울릉분지, 야마토분지 등 3개의 분지가 있는데 이중 한국영해에 속하는 울릉분지는 250만년 전 수심 2500m의 해저에서 화산활동을 시작, 수십 차례의 분출을 통해 수면으로 올라와 섬을 형성하였음이 조사되고 있다.

이러한 울릉분지의 퇴적층들은 과거 빙하기, 간빙기의 반복동안 동해 전체 한류와 난류의 변동과 이에 따른 화산재층과 퇴적물들이 잘 보존돼 있어 동해의 해양환경과 기후변화를 알아볼 수 있는 지질학적으로 매우 귀중한 자료라고 한다. 이러한 화산활동과 기원에 대한 연구들은 과거의 활동을 통해 미래의 환경을 예측할 수 있으므로 최근 발생하고 있는 급격한 환경과 기후변화에 대한 예측 및 대비에 소중한 자료로서 의미를 가질 것이다.

- 탄생 : 신생대 3기말에서 신생대 4기초 화산폭발로 생성
- 전체구성암석 : 알카리성 화산암
- 기저부 : 현무암질 집괴암
- 상부 : 조면암질 집괴암
- 정상부 : 조면암
- 동도 : 화산암질 안산암
- 서도 : 안산암과 현무암으로 이루어진 응회암

토양은 산정상부에서 풍화하여 생성된 잔적토로서 토성은 사질양토이며, 경사 30도 이상의 급격한 평행사면을 이루는 흑갈색 또는 암갈색의 토양이다. 토심은 깊은 곳이 60㎝ 이상인 곳도 있으나 대부분 30㎝ 미만으로, 토양입자가 식물뿌리에 밀착되어 있어 토양유실의 가능성은 낮으나 서도의 일부 노출된 토양의 경우 토양유실현상이 관찰되고 있다.

동도의 동남해안에는 많은 해식동(海蝕洞)이 형성되어 있고 너비 5m, 높이 3m의 수중아치도 있어 관광자원으로 개발할 가치가 있으며, 동도 중턱에 수십 평의 평탄지가 있는 것을 제외하면 동도와 서도 및 암도의 전체가 경사 60° 이상의 급준한 사면을 형성하고 있다.

울릉도와 독도가 2016년부터 2020년까지 우리나라에서 처음으로 국가지질공원으로 인증되었다. 울릉도 및 독도의 국가지질공원 등록지역은 독

도 삼형제굴바위와 울릉도 코끼리바위 등 지질명소 23곳이 포함됐다. 지질공원으로 등록된 지역은 운영비 일부를 정부 등에서 지원받고 유네스코 세계지질공원으로 추가 인증을 받을 수도 있다. 이들

국가지질공원으로 지정된 삼형제굴바위

지역은 4년마다 관리실태 등을 점검해 재인증을 받게 된다. 경상북도는 울릉도·독도의 '갈라파고스 군도'와 같은 지질학적 가치를 살려 유네스코 세계유산과 세계지질공원으로 지정하기 위한 타당성 조사를 하고 있다.

이는 울릉도·독도의 우수한 지질유산자원을 보전하고 교육·관광자원으로 활용하여 국민의 휴양 및 정서함양에 기여하고 지역경제 활성화 도모하기 위함이다.

국가지질공원 지정명소 23개소(울릉도 19, 독도 4) 울릉도 : 19개소 (봉래폭포, 저동 해안산책로, 도동 해안산책로, 거북바위 및 향나무자생지, 국수바위, 버섯바위, 학포 해안, 황토굴, 태하 해안산책로 및 대풍감, 노인봉, 송곳봉, 코끼리바위, 용출소, 알봉, 성인봉 원시림, 죽암몽돌해안, 삼선암, 관음도, 죽도)

독도 : 4개소 (숫돌바위, 독립문바위, 삼형제굴바위, 천장굴)

5. 독도의 기후

　기상청의 자료에 의하면, 독도의 기후는 울릉도와 비슷하며 월평균기온이 연중 영상이고, 강수량이 일년내 고루 분포하며, 해풍이 심하여 본토와 비교할 때 해양성기후의 특색을 많이 나타내고 있다.

　독도는 난류의 영향으로 온난다습하고, 연중 비와 눈이 내리는 날이 많아 강수량이 많으며, 해무가 자주 끼어 맑은 날씨를 보기 어렵다. 울릉도의 연평균 강수량은 1,324㎜인데 독도는 672.6mm로 울릉도보다 훨씬 적다. 그 이유 중에 하나는 울릉도는 고도 984m의 성인봉이 위치하여 지형에 의한 강수 증가가 뚜렷하지만 독도는 그렇지 않기 때문이다. 또한 두 지점의 관측 시스템이 다르고, 독도에 결측 자료가 많은 것도 중요한 이유가 된다. 평균을 사용하는 기온과 달리 연강수량은 누적값을 사용하기 때문에 결측일이 많아지면 실제 강수량보다 과소평가된다.

　참고로 독도의 강수량은 2011년 510.5mm, 2012년 682.0mm, 2013년 443.5mm이다

　강수량의 분포를 보면 중위도 저기압, 장마전선, 태풍 등이 통과하는 여름철에 강수량이 많다. 울릉도는 우리나라에서 유일하게 9월 강수량이 8월 강수량보다 많은 곳이다. 6~9월까지의 강수량 비율이 연강수량의 43% 정도로 우리나라의 다른 지역에 비하여 월등히 적다. 겨울철 강수량은 연강수량의 25%를 차지하여 상대적으로 많다.

　독도 및 울릉도 주변 해역은 겨울철에는 강한 북서풍의 영향을 받아 한반도에서 일본을 향해 바람이 불고, 여름철에는 약한 남풍 계열의 바람이 발달하는 것으로 알려져 있다. 독도 근해에는 동중국해에서 시작하여 남해안과 대한 해협을 지나 동해로 흐르는 북동향의 대만 난류인 흑조류의 영향으

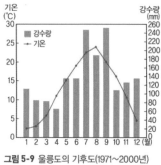

그림 5-9 울릉도의 기후도(1971~2000년)
출처: 기상청, 2001

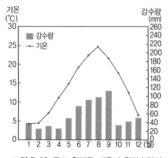

그림 5-10 독도 월평균 기온과 월강수량의 분포(2004~2008년) 출처: 기상청

로 온난다습하다.

연근해의 표면수온은 3~4월에 10℃ 정도로 가장 낮고, 8월에는 25℃이다. 한류인 북한 해류가 이 섬 부근에서 선회하며 난류인 쓰시마해류는 더 북상하여 선회한다. 독도의 일정한 바람은 서풍 내지는 북서풍이며, 동력기관의 이용이 없었던 범선시대에 본토나 울릉도로부터 바람을 등지고 독도로 항해하는 일이 자연스러웠으며, 이를 통해 우리 선조들의 독도항해를 짐작해 볼 수가 있

독도에 설치된 원격관측시스템 무인기후관측소는 집중호우 및 해수면 상승, 지구 온난화 잣대인 온실가스 등 기후변화 관측을 위해 기상청이 2011. 11월 설치했다.

다. 겨울는 북동풍이 우세하며 여름에는 남서풍이 우세하다.

최저 온도 13.6℃, 최고온도 34.6℃로 평균기온은 12.2℃이다.

해수는 3~4월에 10℃ 전후로 가장 낮고, 8월에 25℃ 전후로 가장 낮고, 8월에 25℃ 전후로 가장 높다.

6. 독도의 생태환경

대한민국은 독도 섬 주변의 바다에 다양한 해양생물이 서식하고 있으며, 섬 일대의 자연환경을 보존하기 위해 이 섬을 천연기념물로 지정하여 보호하고 있다.

1982년에 "독도 해조류(바다제비·슴새·괭이갈매기) 번식지(獨島海鳥類-繁殖地)"라는 이름으로 천연기념물로 지정했고, 1999년에 천연보호구역으로 명칭을 바꾸어 동식물 전체의 식생을 관리하게 되었다.

2005년 독도의 기존 토지 및 부속도서를 측량하고 그 결과에 따라 지적공부를 정정하여 독도의 지적현황이 전체적으로 변경됨에 따라 2006년 9월 14일 문화재청장은 문화재보호법 제6조에 의거 천연기념물 제336호로 지정된 《독도 천연보호구역》의 문화재구역을 당초 고시한 "경상북도 울릉군 울릉읍 독도리, 37필지 180,902평미터(보호구역)"을 "경상북도 울릉군 울릉읍 독도리, 101필지 187,554평방미터(지정구역)로 정정고시하였다.

울릉군 독도리 30번지에 있는 독도 사철나무는 독도를 구성하는 2개 섬인 동도와 서도 중 동도의 천장굴 급경사 지역 위쪽 끝 부분에서 자라고 있으며, 강한 해풍과 극히 열악한 토양조건 등에서 자란 나무로 독도에서 생육하는 몇 안 되는 수목 중 가장 오래된 나무로 2012년 10월 25일 대한민국의 천연기념물 제538호로 지정되었다.

10년간 14차례 독도를 방문하고 최근 '독도 식생지도'를 펴낸 동아지도 안동립 대표는 "사람들은 독도를 그저 바위섬으로 알고 있지만 진면목을 보려면 독도에서 자라는 식물들을 봐야 한다"고 말한다.

독도의 대표적 식물로 해국과 사철나무를 꼽는다. 또 9~10월 사이 연보라색 해국으로 뒤덮이는 동도는 절경 중의 절경이다.

1) 독도의 해양 생태

독도 주변 해역은 북쪽에서 내려오는 북한한류와 남쪽에서 북상하는 대만난류의 흐름이 교차하는 수역으로, 프랑크톤이 풍부하여 회유성 어종이 풍부한 황금어장이다. 독도주변해역 조업은 대부분 오징어로 최고 어획기는 대략 8월~12월경이다. 이외에도 연어, 송어, 대구를 비롯한 꽁치, 상어가 어민들의 주 수입원을 이루며, 독도근해에는 미역, 김, 소라, 전복, 게 등 수산물이 잡히며, 전복과 게가 최대 수산물을 이루고 있다.

독도의 해조식생이 남해안과 제주도와는 다른 북반구의 아열대 지역이나 지중해 식생형으로 볼 수 있기 때문에 별도의 독립생태계지역으로 분할 수 있을 정도로 특유의 생태계를 구성하고 있다.

국립수산과학원에서 동도와 서도 주변연안 및 수중생태를 조사한 바에 의하면 해양·자포동물 22종, 고둥류 30종, 극피동물 23종, 갑각류 22종, 갈조식물류 17종과 어류17종 등 총169종이 서식하고 있는 것으로 나타났다.

2) 독도의 조류

독도에 서식하는 조류로는 괭이갈매기를 포함하여 바다제비, 고니, 흰줄박이오리, 되새, 노랑턱멧새, 알락할미새, 상모솔새, 노랑말 도요새, 황조롱이, 슴새, 메추라기 등이 있다. 이들 가운데 개체수가 가장 많은 조류는 괭이갈매기와 바다제비, 슴새 순이며, 멸종위기종은 매(Ⅰ급), 벌매, 솔개, 뿔쇠오리, 올빼미, 물수리, 고니, 흑두루미(이상Ⅱ급) 등 8종이다. 동북아시아에서만 볼 수 있는 슴새와 바다제비, 괭이

✔ 독도의 생태

조류	175종	참새목, 도요목 등
곤충	134종	딱정벌레목, 파리목 등
식물	50~60종	벼과, 국화과 등
해조류	90종	홍조류, 갈조류 등

자료 : 대구지방환경청

갈매기 등 3종은 군집하여 서식하고 있다. 습새와 바다제비는 감소되고 있으며, 괭이갈매기는 2,000~3,000마리 정도로 추정된다. 독도 서도의 남사면과 동도 독립문바위 서쪽, 벼과 여러 해살이식물인 개밀이 자라는 곳은 괭이갈매기의 대번식지로 알려져 있다.

독도의 어미와 새끼 괭이갈매기

한편, 독도는 남북으로 이동하는 철새들이 쉬어

솔개

가는 구원섬으로 깝작도요, 황로, 왜가리, 습새 등의 여름철새, 민물도요, 재갈매기, 말똥가리 등의 겨울철새, 꺅도요, 노랑발도요, 청다리도요 등의 나그네새 등 다양한 철새들의 기착지 및 휴식처로서 기능하고 있음이 확인되었다. 이에 따라 1982년 11월 16일 '독도 해조류 번식지'로 지정되었다가 1999년 12월 천연기념물 제336호로 지정되면서 명칭이 '독도 천연보호구역'으로 바뀌었다.

3) 독도의 식물

독도는 섬의 면적이 좁고 면적의 대부분이 급경사를 이루고 있어 식물이 정착할 공간이 부족할 뿐만 아니라

동도 천장굴 주상절리 벼랑에 120년 된 사철나무(천연기념물 제538호)

토양 발달도 어렵다. 또한 연중 강한 바람과 많은 강수량은 일부 존재하는 토양의 유실을 야기한다. 노출된 기반암과 급경사 사면, 얕은 토양층, 척박한 토질, 높은 염분, 부족한 담수 등 독도는 식생의 정착에 있어 불리한 환경을 가지고 있다. 따라서 독도에 자라는 식물들은 키가 작고 뿌리가 짧은 초본류가 대부분이며 큰 목본류는 자라기 매우 힘든 것으로 알려져 있다.

지금까지 30여 차례에 걸쳐 독도 식물상에 대한 연구 및 조사가 이루어졌는데 최소 34종에서 최대 75종까지 조사자에 따라 식물종에 상당한 차이가 있다.

독도에는 교목인 곰솔과 함께 보리밥나무, 넓은잎사철나무, 섬괴불나무 등의 관목, 개밀, 해국, 섬시호, 큰두루미꽃, 도깨비쇠고비, 왕김의털 등의 초본류가 자란다. 이들은 대부분 경사가 다소 완만한 곳에 분포하고 있다. 섬시호와 큰 두루미꽃은 환경부에서 보호식물로 지정보호하고 있으며, 왕호장근은 구황식물로 이용되기도 했다. 주로 벼과(15종류), 국화과(11종류) 등이 많이 분포하는데 이것은 이들 식물이 건조에 강하고, 척박한 땅에 살 수 있으며, 바람에 잘 전파되고, 내염성이 있는 종류들이 많기 때문이다.

독도에 자라는 섬기린초, 섬장대, 섬괴불나무 등은 울릉도 고유종인데, 독도

섬괴불나무군락, 꽃과 열매가 새들의 좋은 먹이가 된다

에 분포하는 대부분의 종들이 울릉도와 공통종으로 식물지리학적 측면에서 독도는 울릉도와 가장 가까운 종 구성을 보이고 있다.

독도에 자생하는 목본류로는 섬괴불나무, 사철나무, 보리밥나무, 댕댕이덩굴, 개머루, 동백나무가 있다. 이 중 섬괴불나무는 울릉도와 독도에서만 자라는 희귀종으로 높이 1.5~2m, 지름 20㎝의 나무들이 숲을 이루고 있다.

왕호장근은 독도의 생태계에 가장 큰 영향을 미치고 있는 종이며, 그 밖에 마디풀, 참소리쟁이, 흰명아주, 가는명아주, 까마중, 방가지똥, 민들레, 닭의장풀 등이 독도 전역으로 확산되고 있다.

독도에 자라는 식물종 가운데 19종이 독도에 원래 자생하던 종이 아닌 것으로 밝혀져 독도 식물생태계의 교란이 우려된다. 독도의 목본식물 중 보리밥나무, 섬괴불나무, 동백나무, 곰솔, 사철나무, 후박나무, 눈향나무, 울향나무, 무궁화는 인위적 식재에 의한 것이다. 따라서 독도의 생태계 보호를 위해 외부로부터 유입된 종에 대한 관리 대책이 요구된다.

4) 독도의 곤충과 육상동물

독도의 곤충류는 잠자리, 집게벌레, 메뚜기, 매미, 딱정벌레, 파리, 나비 등 9목 35과 53종이 서식하고 있는 것으로 알려져 있으나 조사마다 약간의 차이가 있다. 해류 및 계절풍의 영향으로 비교적 온난하여 남방계 곤충(50.9%)이 북방계 곤충(39.7%)보다 많으며 이들은 쿠로시오 해류와 대마해류의 이동으로 옮겨진 것으로 본다. 본토와의 공통종은 전체의 약 90% 이상을 차지하고 울릉도와의 공통종은 전체의 70%정도이며 독도 고유종은 3종으로 약 8%를 차지한다. 이러한 점으로 미루어 한반도와 밀접한 관련을 가졌으며 식생과 마찬가지로 한반도-울릉도-독도 순으로 이동한 것으로 보인다. 한편 그동안 독도에서는 독도장님노린재, 섬땅방아벌레, 어리

무당벌레, 남방남색꼬리부전나비 등 국내에서 알려지지 않은 미기록 종이 발견되어 학계의 주목을 받았다.

5) 독도 해조류

한국해양연구원의 조사 결과에 의하면, 독도 연안의 수산자원 생물은 어류가 총 104종이며, 무척추동물, 해조류를 포함해서 전체 137종으로 나타났다. 그중에서 대표적인 수산 생물은 혹돔, 돌돔, 벵에돔, 개볼락, 조피볼락, 볼락, 불롤락, 자리돔, 연어병치, 말쥐치, 달고기, 소라, 해삼 등이다. 이런 유용성 자원 생물 이외에도 독도의 해양생물상은 1960년대부터 지금까지 암반생태계를 중심으로 다양한 게류, 해조류, 고둥류, 절지동물류가 순차적으로 보고되었는데, 1990년대 후반에 들어 독도에 서식하는 연체동물 중에만 밝혀진 종은 총 91종이었으며, 새우류, 집게류, 게류 등의 십각류가 33종, 갯지렁이류 32종이 서식하는 것으로 알려져 있다.

파랑돔   청줄돔

전복   매끈이고둥

6) 독도의 상징, 강치

바다 동물 가운데는 다리처럼 벌어진 모양의 지느러미를 가진 '기각류'가 있다. 물가에 나오면 뒤뚱뒤뚱 걸어다닐 때 사용하지만 물 속에서 헤엄치기

좋은 지느러미 형태를 하고 있어서 붙여진 이름이다. 점박이 무늬의 바다표 범이나, 송곳니가 길게 삐져나와 있는 바다코끼리를 빼고는 비슷하게 생겨서 구별하기 어려워 이들을 통틀어 '물개'라 부르기도 한다. 물개와 가장 구별하기 어려운 것 또한 강치다. 강치를 옛날에는 '해려(海驢)'라 했는데 '려(驢)'는 '나귀'를 뜻하는 한자로 매끈한 몸매가 당나귀를 닮은데서 이렇게 불렀다고 한다

독도에는 주변에 강치과 쉬기에 좋은 바위가 많고 난류와 한류가 뒤섞여 먹이가 풍부해 강치들의 주요 번식지이자 서식지였다. 가지도는 독도에 많이 살고 있는 강치를 조선시대에 '가지'라고 부른 데서 붙여진 이름이다.

"가지도에 관한 기록은 1794년 4월 월송만호 한창국이 울릉도에 갔다가 방향을 바꾸어 가지도로 가서 2마리의 가지를 잡은 사실이 '정조실록'에 기록되어 있다.

이익의 〈성호사설〉에는 '울릉도는 동해 가운데 있으며…산물에는 가지어(嘉支魚)가 있다'는 기록이 있다. 또 정조실록 정조 18년 6월조에도 '월송 만호 한창국이 하룻만에 울릉도에 도착했으며 가지도에 가서 가지어(可支魚) 두 마리를 포수가 잡아서 그 가죽을 대나무, 자단향 등과 함께 토산물로 가져오고 지도 한 장도 그려왔다.'는 기록이 있다. 이 기록의 가지어가 곧 강치이고, 가지도가 독도다. 가지도, 즉 강치섬이라 불릴 정도로 강치가 많았다는 것을 알 수 있다.

① 일본에 의해 멸종된 강치

독도에 많이 살고 있던 강치를 20세기 들어 일본인들이 싹쓸이해 아예 멸종에 이르게 했다. 일본 시마네 현의 나카이 요사부로(中井養三郎)는 강치 잡이로 돈을 많이 벌게 되자 독도 어업권을 독차지하기 위해 일본 정부에 독도가 주인이 없으니 일본에 부속시킨 후 자신에게 대부해 달라는 청원서

를 1904년 9월 20일 냈다. 나카이 요사부로라
는 사업가를 주축으로 4명의 일본인이 공동출
자해 설립한 〈다케시마 어렵합자회사〉는 일본
정부로부터 강치독점 어업권을 따내어 강치를
살육하기 이른다. 일본이 을사늑약을 통해 대
한제국을 병합하기 전부터 영토편입에 대한
야욕을 드러낸 것이다.

1947년 8월 20일 '울릉도·독도 학술
조사'에 동행한 조선산악회 회원 남행
수씨가 독도에서 강치 새끼를 들어올리
고 있다. 과도정부는 조선산악회와 함
께 광복 후 첫 울릉도·독도 학술 조사를
진행했다. _정병준 교수

　강치의 가죽은 러일전쟁 중 군용배낭을 만
드는데 사용되고 바가지를 만들기도 했고 가
방은 런던에서 열린 박람회에 출품되어 금상
을 받기도 했다. 강치를 가마솥에 넣고 끓여
기름을 추출해 막대한 이윤을 벌어들였고, 생
포된 강치는 서커스단으로 팔려나가기도 했
다.

　울산 반구대 암각화에도 등장하는 바다사
자는 선사시대 이전부터 우리나라 해역에 서식한 것으로 추정되며 1900년
대 초 독도에 2만~3만 마리가 떼를 지어 살았지만, 러일전쟁 때인 1904년
부터 1956년까지 무려 1만6천500마리를 마구 잡았다.

　1950년대 독도의용수비대가 100여마리의 바다사자를 봤다는 증언과
1970년대 목격담 이후에는 바다사자에 대한 어떠한 흔적도 남지 않았다.

　일본은 1972년 홋카이도에서 1마리가 생포된 사례를 마지막으로 1991년
바다사자의 멸종을 공표했고, 우리나라도 1998년 바다사자를 멸종위기종
I급으로 지정했다.

일본인들이 독도에서 강치를 그물로 포획하여 마구잡이로 잡아들이고 있다. 일본인들은 돈벌이가 되는 강치를 총으로 몽둥이로 때려잡았다.

② 강치 복원 운동

최근, 정부에서나, 민간단체에서도 강치복원 움직임도 보이고 있다. 독도 강치 복원 사업은 우리 생태계에 훼손된 부분이 있다면 복원시키려는 측면이 있고 또 그런 활동들이 국제적으로 우리 영유권에도 도움이 될 것이다.

그 한 예로, 시파단 섬은 '다이버의 성지'라고 불리는 곳으로 인도네시아와 말레이시아 양국은 23년간 이곳의 영유권을 주장하다가 1998년 국제사법재판소(ICJ)에서 영토분쟁을 해결하기로 했다. 그 결과, 2002년 ICJ의 판결에 따라 말레이시아가 시파단 섬의 소유자로 결정됐다. 말레이시아가 재판에서 승리하는 데 결정적 역할을 한 것은 시파단 섬의 바다거북이었다. 말레이시아 정부는 어민의 남획으로 시파단 섬의 바다거북이 멸종할 위기에 처하자 보호법을 제정해 바다거북을 멸종의 위기에서 구했다.

멸종된 독도 강치를 복원하는 일은 독도 영유권을 공고히 하는 데 도움이 될 것이다. 끊임 없이 독도 본래 모습으로의 회복을 위해 멸종 위기에 처한 동식물을 관리하고 복원하는 일들은, 일본이 멸종시킨 강치를 우리가 되살린다면 만에 하나 ICJ가 독도의 소유자를 가리는 상황이 되더라도 독도 강치가 시파단 섬의 바다거북과 같은 역할을 해줄 수 있을 것이다.

독도가 일본땅이었으면 민간인들이 마구잡이로 강치를 포획하여 멸종에 이르도록 방치하지는 않았을 것이지만, 남의 나라 것이니 마음대로 강탈해 간 것이다.

7) 독도의 삽살개

1985년 삽살개 복원사업을 시작한 하지홍 교수는 삽살개를 독도로 보낸 장본인이다.

하 교수는 과거 번창했던 삽살개가 갑자기 사라지게 된 이유를 조사하던 중, 일본이 우리 토종개 100만 마리를 가죽이 필요하다는 이유로 모두 죽인 것을 조선총독부 공식문서를 확인되었는데 100만마리 속에는 삽살개가 상당수 포함된 것으로 추정할 수 있었

독도를 지키는 독도경비대원들과 삽살개

다는 것이다. 전쟁에 사용할 가죽이 필요하다는 이유로 인간과 가장 가까운 동물인 개의 가죽을 벗겨낸 민족은 아마도 일본이 유일하다는 것이다. 현재 독도에는 삽살개 2마리가 있으며 독도경비대와 함께 독도를 지키고 있다. 1998년 독도에 들어간 이 두 마리 삽살개는 우리민족과 수난을 함께했다는 상징성은 독도를 지키기에 그만인 것이다.

7. 독도의 시설물

독도 둘레는 2.8km이다. 사람이 생활할 수 있는 각종 시설물을 설치하기 어려운 급경사진 바위섬으로 되어 있다. 동도에는 경비대 숙소와 초소 및 등대관리원 등 사람이 생활하는데, 필요한 최소한의 시설을 갖추고 있다. 독도 수호를 위한 경비대 숙소와 각종 군사 시설, 초소 및 등대 등이 설치되어 있고, 담수화 시설로 인하여 경비대원의 식수 및 생활용수는 원활하게 공급되고 있다.

동도에 접안시설(642평)을 비롯하여 경비대 막사, 정수·통신·삭도시설, 헬기장, 지정통로가 있으며, 서도에는 어민대피시설(선착장, 숙소), 발전기, 저수탱크, 기상측정기, 지정통로가 있어 해양경비와 어민들의 대피 공간을 확보해 두고 있다. 해양수산부는 동도에 지난 1997년 11월 7일 총 177억여 원의 사업비를 들여 80m의 주 부두와 20m의 간이부두, 137m의 진입로를 갖춘 독도의 접안시설을 준공하였다.

서도의 주민숙소는 독도지역의 어업호라동과 학술조사연구를 지원하고 어민을 비롯한 애양 종사자의 긴급대피와 숙박시설로 이용되고 있다. 경북 울릉군은 '독도 실효적 지배'의 상징으로 민간인 김성도 씨 부부와 어민들 긴급대피소로 이용하는 주민숙소가 해풍과 염분의 영향으로 시설물 노후화가 급속하게 진행돼 안전을 위협할 수 있다고 판단, 전면 수리를 위해 내년도 예산으로 해양수산부에 사업비 15억원을 요청한 상태이다.

주민숙소는 4층 건물로 연면적 118.92㎡로 2011년 30억원으로 건립돼 김씨 부부가 거주하고 있다. 입도객의 안전과 어민 보호를 위해 독도관리사무소 공무원 2명이 근무하고 있다.

8. 독도의 가치

대한민국은 한반도와 그 주변의 영토, 영공, 영해를 통해 이뤄져 있다. 독도의 중요성과 관련이 된 것은 영해다. 유엔에서 정하는 유엔해양법 협약에 따르면 각국의 연안으로부터 200해리까지를 배타적 경제수역으로 설정하고, 섬으로부터 12해리까지를 영해로 보고 있다. 독도를 수호하는 것은 우리의 영토를 지키는 것이다.

경북지방경찰청 독도경비대

1) 황금어장

북쪽에서 내려오는 북한한류와 남쪽에서 북상하는 대마난류계의 흐름들이 교차하는 해역인 독도주변해역은 플랑크톤이 풍부하여 회유성 어족이 풍부하기 때문에 좋은 어장을 형성한다.

어민들의 주요 수입원이 되는 회유성 어족인 연어, 송어, 대구를 비롯해 명태, 꽁치, 오징어, 상어가 주종을 이루고 있으며, 특히 오징어잡이철인 겨

주민숙소와 접안시설

울이면 오징어 집어등의 맑은 불빛이 독도 주변 해역의 밤을 하얗게 밝히
곤 한다.

또한 해저암초에는 다시마, 미역, 소라, 전복등의 해양동물과 해조류들이
풍성히 자라고 있어 어민들의 주요한 수입원이 되며, 특히 1981년 서울대 식
물학과 이인규 교수팀의 조사에 의하면, 독도의 해조식생이 남해안이나 제
주도와 다른 북반구의 아열대지역이나 지중해 식생형으로 볼 수 있기에, 별
도의 독립생태계 지역으로 분할할 수 있을 정도로 특유의 생태계를 구성하
고 있다고 한다. 또 독도는 그 주변수역이나 더 멀리 어업을 나간 어민들의
휴식처이기도 하다. 그러므로 독도를 잃는 것은 동해 전체를 잃는 것과 같
다고 할 수 있다.

2) 지질학적 중요성

지질학적으로 보면 독도는 동해의 해저로부터 해저의 지각활동에 의해 불
쑥 솟구친 용암이 오랜 세월동안 굳어지면서 생긴 화산성 해산이다. 이러한
독도는 원래 동도, 서도가 한 덩어리인 화산섬이었다. 몇 십만 년의 세월이

흐르며 바닷물에 의해 침식작용과 바람에 의한 풍화작용을 거듭하며 원래 부드러운 성질의 돌이 천천히 깎여졌던 것이다. 이 해식작용의 결과로 칼로 깎은 듯 날카롭고 가파른 해식애(sea cliff)들이 만들어졌으며, 한편에서는 서도의 북쪽과 서쪽 해안처럼 파식대지(wave-cut platform:파도에 깎여 만들어진 바닷가 해저의 평탄면)가 형성되었다. 파식 및 침강작용에 의해 원래의 모양을 간직하기가 매우 어려운데, 독도는 해저산의 진화과정을 한눈에 알아볼 수 있는 세계적인 지질유적이라고 한다. 독도의 형성과정 연구는 진행중이지만 독도가 일본 오키섬과 생성원인이 전혀 다르다는 성과를 거뒀다. 독도화산체는 일련의 열점활동 결과여서 일본 대륙붕의 연장인 오키섬과는 탄생 과정부터 다르다는 것이다.

경북도는 울릉도·독도의 이런 지질학적 가치를 살려 유네스코 세계유산과 세계지질공원으로 지정하기 위한 타당성 조사를 벌이고 있다. 조사책임자인 장윤득 경북대 지질학과 교수는 "독특한 생물진화가 일어나는 울릉도와 해산의 진화과정을 고스란히 보존하고 있는 독도는 세계적으로도 뛰어난 보전가치를 지니고 있다"고 한다.

3) 해저자원

독도의 미래자원인 가스 하이드레이트로 메탄은 주성분인 천연가스가 얼음에 둘러싸여 고체로 변화한 것이다. 메탄 하이드레이트는 차세대 연료로 관심을 받기 시작한지 얼마 되지 않았다.

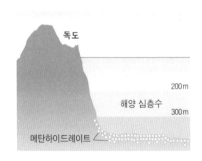

박문각 지식종합연구소에 따르면 「메탄 하이드레이트는 21세기의 신에너지자원으로, 빙하기 시대 이후 해저 또는 동토지역에서 고압, 저온으로 형성된 메탄의 수화물이다. 해저에는 지하에 매장된 석탄, 석유, 가스량의 거의 2배에 가까운(탄소기준) 메탄하이드레이트가 존재하는 것으로 알려져 있다. 부피보다 약 160~170배 많은 가스를 함유해 화석연료를 대체할 미래에너지원으로 각광 받고 있다. 영구동토층과 심해저지층에 주로 분포하며 세계 각지에 무려 4경3,000조㎥가 매장돼 있는 것으로 추정된다. 이는 천연가스처럼 95%이상이 메탄으로 이루어진 하이드레이트가 기존 천연가스의 매장량보다 수십배나 많고 연소시 이산화탄소 발생량이 석탄, 석유의 절반에 불과한 청정에너지원이기 때문일 뿐만 아니라, 석유자원이 매장되어있는지를 알려주는 특성이 있는 까닭이다.

독도 인근 동해 해저에는 한국이 200년간 쓸 수 있는 메탄하이드레이트의 부존량이 확인된 바 있으며, 독도에만 매장되어 있는 양이 액수로 따지면 약 150조원이라고 알려져 있다. 이런 엄청난 자원이 매장되어 있으니 큰 보물섬을 가지고 있는 셈이다.

4) 군사·안보적 중요성

군사적 가치 또한 이미 1905년 러·일전쟁의 최후를 장식한 이른바 '동해의 대해전'에서 일본 정부는 2월 22일 「시마네현 고시 제40호」를 통해, 한국령 독도를 일본명인 '竹島'로 개명하여 시마네현 오키나마(隠岐島)에 강제편입시킨 후였고, 8월 19일에는 이곳에 이미 해군 기지로서 망루와 통신시설을 설치한 상태에서 러시아 함대를 맞아 대승을 거둘 수 있었던 것이다.

현재 한국 정부에서 방공 식별구역 안에 있는 독도에 고성능 방공 레이더

기지를 구축하여 전략적 기지로 관리하고 있으며, 이곳 관측소에서 러시아의 태평양함대와 일본 및 북한 해공군의 이동 상황을 손쉽게 파악하여 동북아 및 국가안보에 필요한 군사정보를 제공하고 있다. 독도의 전략적 전진 방공기지는 한국뿐만 아니라 동북아(東北亞)의 진정한 평화와 안전보장에 중요한 일익을 담당하고 있으므로 독도의 군사전략적가치(軍事戰略的價値)를 결코 과소평가할 수 없는 상황에 있는 것이다.

5) 관광자원

아름다운 화산섬 울릉도·독도는 천혜의 관광자원을 가지고 있다. 동해 한 가운데 위치하고 있다는 점을 고려할 때, 대륙횡단철도가 연결되면, 우리나라가 종착지로서 일본, 중국, 러시아, 유럽까지 뻗어나가는 환동해권의 관광중심지로 개발될 여지가 충분하다고 볼 수 있다.

독도 방문객은 2012년 20만5천778명, 2013년 25만5천838명, 2014년 13만9천892명, 2015년 17만8천785명, 2016년 20만6천630명으로 나타나, 세월호와 메르스 사태가 난 2014년과 2015년을 빼면 매년 증가하는 추세였다. 독도에 대한 국민적 관심이 높아지면서 독도 관문인 울릉도를 오가는 뱃길이 늘어나고 새로운 여객선 항로개설이 본격 추진되고 있다.

한국홍보 전문가 서경덕 교수가 '독도 문화 운동'을 전개하고 있다. 정치,외교적으로 접근하다보면 분쟁지역화 하려는 일본 정부의 전략에 휘말릴 수도 있지만 독도는 우리 영토이기에 문화,관광,스포츠 등을 통해 자연스럽게 세계인들에게 알린다는 취지이다. 세계인들이 한국에 들어오면 누구나 다 방문하기를 원하는 관광명소로 부각시키는 일을 위해서 많은 일을 준비하고 있는 것으로 알고 있다.

제 2 장
역사 문헌 속의 독도

1. 사료 속의 독도

1) 독도의 역사적 인식

독도는 울릉도의 부속 섬으로서 독도의 역사는 울릉도의 역사 안에서 살펴볼 수 있다. 울릉도에는 오랜 옛날부터 가까운 내륙 지방의 사람들이 들어와 살기 시작한 것으로 추측할 수 있지만, 문헌상 울릉도에 사람이 살았다는 기록은 3세기에 나오기 시작한다. "삼국지" 위지 동이전 옥저조(沃沮條)에 "옥저의 기로(耆老)가 말하기를 '국인이 언젠가 배를 타고 고기잡이를 하다가 바람을 만나 수십일 동안 표류하다가 동쪽의 섬에 표착하였는데 그 섬에 사람이 살고 있으나 언어가 통하지 않았고 그들은 해마다 7월이 되면 소녀를 가려 뽑아서 바다에 빠뜨린다'고 하였다." 이 기록에서 '동쪽의 섬'을 우산국으로 볼 것인지를 두고 다른 견해도 있지만, 3세기경에 이미 울릉도에 사람이 살기 시작하였고, 삼국 시대 이전에 울릉도와 독도는 우산국이라 불리는 소규모 왕국이었음을 사료를 통해 추정할 수 있다.

이와 같이 울릉도와 독도 등 동해안 일대의 도서 지역을 장악하고 있던 해상 왕국 우산국이 신라에 정복된 후, 독도는 울릉도의 부속 도서로서 우리 역사에 편입되어 우리의 고유 영토로 존재해 왔다. "고려사", "세종실록", "신증동국여지승람"을 살펴보면 울릉도와 독도는 하나의 광역 지역으로서 우산도로 불리거나, 각각의 독자적인 섬으로서 우산과 무릉으로 불렸다. 또한 울릉도와 독도는 고대부터 현재까지 내륙과의 연계 안에서 존재하여 왔고, 우리 어민들은 고기잡이를 하는 거점으로 줄곧 활용하여 왔다. 역사 안에서 울릉도와 독도는 본토와 섬의 관계에 놓여 있었고, 동일 역사 문화 생활 권역에 속해 있었다.

2) 독도에 대한 최초의 기록

우리나라의 문헌에 독도가 처음 등장한 것은 고려 시대 김부식이 편찬한 〈삼국사기〉이다. 이 기록에 따르면, 울릉도와 우산도(독도)라는 두 개의 섬이 우산국이라는 하나의 독립국을 형성하고 있었다. 본래 삼국 시대 이전에 울릉도와 독도는 우산국으로 불렸다. 우산국은 신라 지증왕 13년(512) 신라에 항복하여 신라에 병합되었고, 이로써 울릉도의 주변 섬인 독도도 신라의 영토가 되었다.

삼국사기는 1145년(인종 23년)에 김부식이 왕명을 받들어 편찬한 신라, 고구려, 백제의 정사(正史)이다. 본기, 지(志), 표, 열전으로 이루어져 왕실 중심으로 기록되었다. 총 50권으로 되어 있는데 그 중 삼국사기 신라본기에,

김부식이 저술한 〈삼국사기(三國史記)〉의 표지와 내지

지증왕 13년 여름 6월에 우산국이 항복하고 매년 토산물을 공물로 바쳤다. 우산국은 명주(현재 강릉) 의 정동 쪽에 있는 섬으로 울릉도라고도 한다. 땅은 사방 1백리이다. 우산국 사람들이 지세가 험한 것을 믿고 복종하지 않자, 이찬 이사부가 하슬라주(신라 시대 행정 구역-현재 강릉)의 군주가 되어 말하기를, "우산국 사람들은 어리석고 성질이 사나워 위엄으로 복종시키기는 어려우니 꾀를 써서 복종시키는 것아 좋겠다"라고 하였다. 이에 나무로 된 가짜 사자를 많이 만들어 전선에 나누어 싣고는 우산국 해안에 이르러 속여 말하기를 "너희들이 만일 복종하지 않는다면 이 맹수들을 풀러놓아 밟혀 죽게 하겠다."라고 하니, 사람들이 두려워서 바로 항복하였다고 기록하였다.

3)고려 시대의 울릉도 독도 통치

고려 건국 이후에도 우산국은 신라에 이어 고려의 지배를 받고 있었다. "고려사"에 따르면 "930년(태조 13년) 우산국에서 백길과 토두라는 사신을 파견하여 고려 왕에게 토산물을 바쳤다. 이때 고려 조정에서는 백길과 토두에게 관직을 내려주었다."라고 하여 울릉도에서 온 사절에게 직위를 주어 울릉도를 지배하고 있었음을 알 수 있다.

우산국은 고려 조정으로부터 우산국(于山國) 또는 우릉성(羽陵城)으로 불리면서, 고려의 동해안 외곽 방어선 역할을 수행하며 본토와 지속적인 문물 교류를 통해 번성해 갔다.

1018년(현종 9년)에는 두만강 하류 동북 지방에 살던 동북 여진족이 우산국을 침략하고 노략질하여 농토가 황폐화되었다. 이에 고려 조정에서는 즉시 우산국에 관리를 파견하여 농기구 및 종자 등을 하사하였다. 그리고 이듬해 여진족 침입 당시 본토로 피난하였던 우산국 주민들을 돌려보냈다. 이를 통해 고려가 우산국(울릉도와 독도)의 주민과 영토를 계속 관리하였음은 물론, 여진족이 울릉도를 침입할 정도로 우산국에는 일정 규모 이상의 주민이 거주하였음을 알 수 있다.

1157년(의종 11년) 울릉도에 주민을 이주시키고자 명주도(강원도) 관리 김유립을 파견하여 울릉도에 주민을 이주시켜 살 수 있는지를 조사하게 하였다. 김유립은 울릉도를 조사하고 돌아와, 왕에게 울릉도는 바위가 많아 사람이 살기에 적당하지 않다고 보고하여 실행하지 못하였다. 그 후에도 고려 조정에서는 울릉도에 주민을 이주시키고자 여러 번 시도했으나 도중에 풍랑으로 인한 익사자가 많아지자 중단하였다. 이를 통해 고려 정부가 울릉도를 적극적으로 개발하려 하였음을 알 수 있다.

"고려사" 권4 현종 9년 11월 병인 조에는 조선 세종 31년(1449년)에 편찬하여 문종 1년(1451년)에 완성된 책으로, 고려 시대의 역사 및 문화 등을 정리해 놓았다.

이처럼 울릉도는 주민들이 살기 어려운 환경을 지니고 있는 데다 왜인들의 침입도 빈번하였으므로 중앙 정부는 울릉도에 가끔 안무사(백성의 어려움을 살피는 임시 관직)를 파견하여 섬을 관리하였다. 또한 울릉도가 우릉·무릉도로, 독도가 우산도로 나타나 있고, 두 섬은 서로 거리가 멀지 않아 바람이 불지 않고 날씨가 맑으면 바라볼 수 있다고 하였다. 고려가 원의 지배 간섭하에 있던 1346년(충목왕 2년)에도 울릉도의 주민들이 고려에 입조한 기록이 있어 고려 지배하에 있었음을 알 수 있다.

고려사는 1449년부터 편찬하기 시작하여 1451년에 완성된 총 139권 75책. 전체 구성은 세가(世家) 46권, 열전(列傳) 50권, 지(志) 39권, 연표(年表) 2권, 목록(目錄) 2권으로 되어 있다. 고려시대의 전반적인 내용을 기전체로 정리한 것이 특징이다.

고려사에서는 고려의 태조 왕건이 후백제 견훤을 물리치고 후삼국의 주도권을 장악하면서 우산국은 다시 독자적인 세력을 유지하게 된다. 하지만 〈고려사〉 권1 태조 13년 8월(930년)에는 "우릉도(芋陵島)가 백길(白吉)과 토두(土豆)를 보내어 토산물을 바침에 백길을 정위(正位)로 토두를 정조(正朝)로 삼았다"는 기록이 있다.

이를 통해 고려시대에도 변함없이 울릉도는 한반도의 지배하에 있었음을 알 수 있다.

현종 9년에는 여진의 침략으로 농업이 피해를 입자 농기구를 하사해 준 기록도 있다. 고려사에 한 동안 울릉도와 독도에 관한 기록이 나오지 않는데,

이는 여진의 침입으로 그 일대가 황폐화되었기 때문으로 추정하고 있다. 이어 1157년에는 울릉도를 적극 개발하려다 중단한 기록이 나오며, 원 간섭기에는 울릉도의 주민이 고려 조정에 입조한 기록이 있다.

독도연구소 자료에 의한 고려시대 문헌의 기록은 다음과 같다.

① 930(태조 13)8월 우릉도(于陵島)에서 고려에 내조(來朝), 방물(方物)을 바쳐옴에 따라 정위(正位)와 정조(正朝)의 관계(官階)를 하사함.(고려사 권1 태조세가1)

②1018(현종 9)11월 우산국이 동북 여진의 침구를 받고 폐농하게 되었으므로, 이원구를 파견하여 농기를 보냄.(고려사 권4 현종세가1)

③ 1019(현종 10)7월 여진의 침구로 인해 본토로 도망와 있던 우산국 사람들을 모두 돌려보내려 함.(고려사 권4 현종세가1)

④ 1022(현종 13)7월 여진의 침구를 피해 본토로 도망와 있던 우산국사람들을 예주(禮州 : 지금의 영덕군지역, 혹은 당시 평해·영덕·영양 등지를 관할하는 지방행정 조직체 방어사 예주의 管內)에 정착하게 함.(고려사 권4 현종세가2)

⑤ 1032(덕종 원년) 11월 우릉성주(羽陵城主)가 그의 아들 부어잉다랑(夫於仍多郞)을 보내 내조, 토물을 바침.(고려사 권5 덕종세가)

⑥ 1141(인종 19)7월 명주도 감창사 이양실(李陽實)이 울릉도로 사람을 들여보내 특이한 과핵과 목엽을 채취하여 바침.(고려사 권17 인종세가 3.)

⑦ 1157(의종 11)5월 우릉도(羽陵島)에 주민을 이주시키려 명주도감창 전중내급사(溟州道監倉 殿中內給事) 김유립(金柔立)을 보내 조사케 하였으나, 암석이 많아 거주가 어렵다 하여 의논을 중지함.(고려사 권18 의종세가 2.)

⑧ 1243(고종 30) 대몽항쟁 중 최이(崔怡)에 의해 울릉도에 주민을 이주시킴. 후에 익사자가 많이 생겼으므로, 이주 정책은 중지됨.(고려사 권129 렬전 반역 3 최충헌 부 최이전)

⑨ 1246(고종 33)5월 국학 학유(國學學諭) 권형윤(權衡允)과 급제(及第) 사정순(史挺純)이 울릉도 안무사로 임명됨.(고려사 권23 고종세가 2.)

⑩ 1273(원종 14)원이 이추(李樞)를 파견하여 대목을 요구하였으므로, 2월 첨서추밀원사(簽書樞密院事) 허공(許珙)을 울릉도 작목사로 임명해 함께 가게 함. 벌목은 고려의 요청에 의해 곧 중지됨.(고려사 권27 원종세가 3, 권130 열전 반역 4 조이 부 이추전)

⑪ 1346(충목왕 2)동계(東界)의 우릉도인(芋陵島人)이 내조함.(고려사 권37 충목왕세가)

⑫ 1379(우왕 5)7월 왜가 무릉도(武陵島)에 들어와 보름 동안 머물다가 물러감.(고려사 권134 반역 6 신우 1)

4) 조선시대 울릉도와 독도 통치

① 조선 정부의 쇄환 정책(刷還政策)

쇄환 정책은 정부가 육지로부터 멀리 떨어진 섬의 주민을 보호하기 위해 섬에 살지 못하게 하고 이들을 육지로 돌려보내는 도서 정책을 말한다. 울릉도에는 이미 오래 전부터 사람들이 살고 있었으므로 조선 시대에 들어와서도 울릉도와 주변 섬에 관한 보고가 끊이지 않았다. 그러나 정부로서는 주민들이 울릉도에 들어가 사는 일을 방관할 수 없었다. 울릉도 주민은 왜구의 약탈 대상이 되기 쉬웠고, 울릉도를 침입한 왜구가 이곳을 근거지로 하여 강원도 등을 침략할 것이라고 생각하였다. 또한 당시 울릉도는 육지에서 멀리 떨어져 있었기 때문에 정부의 세금을 피해 울릉도로 도망간 경우도 있었다.

조선 초기 연근해 개발이 이루어지면서 왜구 등에 대한 적극적인 해결책이 강구되면서 읍을 설치하거나 진을 설치하자는 논의가 있었다. 울릉도도 그 연장선상에서 설읍(設邑) 논의가 있었다. 그러나 울릉도에 들어간 사람들이 피역(避役)의 무리이므로 그곳에 읍을 설치한다면 또 다른 곳으로 옮겨갈 것이라는 판단에 따라 그들을 다시 본토로 이주시키는 쇄환 정책을 실시하였다. 그로 인해 울릉도가 일시적으로 무인도가 되었지만, 이는 정부가 울릉도와 주변 섬을 관리하기 위한 정책의 하나일 뿐으로 영토를 포기한 것은 아니었다.

울릉도와 독도는 강원도 울진현의 속도(屬島)로서 강원 감사의 지휘 통제권에 있었다. 그러나 울릉도와 독도는 어디까지나 쇄환 조치 내지 순심 정책의 틀 속에 있었기 때문에 하나의 군현 단위는 결코 아니었고, 호적에 군현민이 기록되지도 않았다. 하지만 울릉도 등의 섬에는 정부의 쇄환 정책에도 불구하고 끊임없이 사람들이 들어갔으므로 섬이 비어 있던 적은 거의 없었다. 이들은 군역을 피해 도망간 범법자들이란 인식하에 쇄환의 대상이었다.

조선 정부는 울릉도 등의 섬을 관리하기 위해 별도의 관리인 무릉도순심경차관(茂陵島巡審敬差官), 무릉등처 안무사(武陵等處按撫使) 또는 우산·무릉등처 안무사(于山武陵等處按撫使)를 파견하여 울릉도와 독도를 조사하였다. 조선 후기에 들어서 정부는 2년마다 수토관(울릉도와 주변 섬을 수색하여 주민들을 찾아내 육지로 돌려보내는 관리)을 파견하여 수토정책(搜討政策)을 제도화하였다. 이들의 파견은 울릉도 등의 섬에 입도한 어민들의 쇄환을 목적으로 한 것이기도 하지만, 일본에게 울릉도 등의 섬이 조선의 영토임을 인식시키려는 데 주된 목적이 있었다.

② 조선 전기 울릉도와 독도에 관한 기록

조선 시대의 역사를 기록한 "조선왕조실록"에는 울릉도와 독도에 관련된 기록이 많이 보인다. 조선 초기에 정부는 국가의 체제를 정비하기 위해 전국적인 지리지 편찬 작업에 착수하였다. "세종실록" 지리지는 세종의 명으로 맹사성, 권진, 윤회 등이 완성한 "신찬팔도지리지"를 수정·보완하여 1454년(단종2년) "세종실록"을 편찬할 때 부록으로 넣은 것이다. 모두 8책으로 전국 328개의 군현(郡縣)에 관한 인문지리적 내용을 담고 있다. "세종실록" 지리지 권153의 강원도 울진현 조에 우산도(독도)에 대한 내용이 나온다. 이는 독도와 울릉도의 관계를 뚜렷하게 밝힌 최초의 문헌으로, 이를 통해 우산(독도)과 무릉(울릉도)이 별개의 섬이라는 점과 맑은 날에 보인다는 것으로 보아 동해상에 울릉도와 독도가 있으며, 이를 분명하게 인지하고 있었음을 알려 준다.

于山武陵二島在縣正東海中
二島相去不遠風日淸明則可望見新羅時稱于山國

일반적으로 이 내용은 다음과 같이 해석한다.
"우산과 무릉 두 섬이 현의 정동 (방향) 바다 가운데(海中)에 있다. 두 섬이 서로 거리가 멀지 않아 바람이 불고 청명한 날씨면 바라볼 수 있다. 신라에서는 우산국이라 불렀다."

현재의 울릉도와 독도에 해당되는 두 섬이 울진 정동쪽에 있으며, 두 섬의 거리는 "서로 멀지 않아 날씨가 맑으면 볼 수 있을 정도"였다고 대한민국 학자들은 주장한다.

울릉도에서는 독도가 가시거리에 들어오지만 일본에서는 가시거리에 독도가 없다. 이것은 국경개념이 명확하지 않았던 고대사회에서 '보이는 곳까지가 삶의 터전'이었다는 한일 양국의 공통된 인식과 관습에 근거하여 독도가 우산국 사람들의 생활 터전이었다고 할 수 있다.

〈삼국유사(三國遺事)〉는 고려 충렬왕(1236~1308) 때 일연이 지은 역사서로 〈삼국사기〉와 같은 이사부의 울릉도 복속사실이 기록되어 있는데 사람 이름이 다르게 표현되어 있었으며 우산국(于山國)을 우릉도(于陵島)라 썼다. 이는 이두를 사용하며 생긴 결과로 보인다.

삼국유사 지철로왕조(三國遺事 智哲老王條)편에는 지철로왕은 성은 김, 이름은 지대로 또는 지도로, 시호를 지증이라 하였다. "아슬라주(강릉)에서 동쪽으로 이틀쯤 가면 울등도가 있다. 왕이 박이종으로 하여금 우릉도를 정벌케 하였다. 섬의 오랑캐가 교만하고 신하의 예를 올리지 않아 나무 사자로 위협하여 항복케 하였다."라고 기록하였다.

1454년(단종 2)에 완성된 〈세종장헌대왕실록〉의 제148권에서 제155권에 실려 있는 전국지리지는 조선초기의 지리서로서 사서의 부록이 아니라 독자적으로 만들어졌고 국가통치를 위해 필요한 여러 자료를 상세히 다루었다.

1454년(세종 36년)에 편찬된 《세종실록》 지리지의 〈울진현조〉 부분에 동쪽 바다의 무릉과 우산의 두 섬을 언급한다.

〈성종실록〉과 〈동국여지승람〉은 세종대왕실록과 함께 역사적 사료가 가장 많은 실록으로 특히 영토에 관련한 자료가 풍부하다.

성종실록의 성종 7년 12월 정유(丁酉: 27일) 조(條)에 기록되어 있는 김자주(金自周)의 말에 의하면, 그는 9월 16일에 출발하여 25일에 삼봉도(三峰島)를 바라보니 섬 북쪽에 삼석(三石)이 있고, 다음에 소도(小島)가 있고, 다음에 암석이 서 있고, 다음에 중도(中島)가, 중도 서쪽에 또 소도(小島)가 있는데, 모두 바닷물이 유통(流通)하고 섬 사이에 인형(人形)과 같은 것이 30m쯤 나란히 서 있으므로 겁이 나서 섬에 가지 못하고 도형(島形)을 그려 왔다는 기록이 있다.

이 기록에 의하면 김자주(金自周) 등은 삼봉도에 상륙하지 못하고 온 것인데 그가 말한 삼봉도의 모형은 지금의 독도와 다름이 없는 것이다. 즉, 섬 북쪽에 삼석(三石)이 서 있다 함은 서도(西島) 북방에 높이 솟은 3개의 바위섬을 말하는 것이고, 다음의 소도(小島)와 암석(岩石)은 동도(東島)와 서도(西島)사이에 무수히 흩어져 있는 바위들이며, 도(中島)는 서도(西島)를, 중도 서쪽의 소도(小島)는 동도(東島)동남방에 높이 솟은 바위섬을 말한 것으로 대개 지금의 독도와 모양이 같다. 섬 사이에 바닷물이 유통한다는 것은 동도(東島)와 서도(西島)사이를 말한 것으로 짐작되며 인형과 같은 것은 울릉도에서 가재라 부르는 바다사자를 말한 것으로 보인다.

동국여지승람(東國輿地勝覽)(1481년)은 조선 성종 때의 지리서이다. 성종 때 명나라의《대명일통지(大明一統志)》가 수입되자 왕이 노사신·양성지·강희맹 등에 그것을 참고하고, 세종 때의《신찬 팔도지리지》를 대본으로 하여 지리서를 편찬케 하였다. 그들은 성종 12년(1481년)에 50권을 완성하였고, 성종 17년에 다시 증산(增刪)·수정하여 35권을 간행하였다. 그 후 연산군 5년에 수정을 거쳐 중종25년(1530)에 이행(李荇) 등의 증보판이 나오니 이것을《신증동국여지승람(新增東國輿地勝覽)》이라고 한다.

③ 조선 후기 울릉도와 독도 관할

우산도에 관한 구체적인 기록이 나오기 시작한 것은 '안용복 사건'을 전후해서이다. 조선 숙종 시대의 문신 박세당은 '울릉도'에서 우산도에 대해 다음과 같이 언급하였다. 이 기록을 통해 우산도는 울릉도 가까이 있는 죽도나 관음도가 아니라 독도를 가리키는 것임을 알 수 있다.

대개 두 섬이 여기(평해)에서 그다지 멀지 않아 한 번 큰 바람이 불면 이를 수 있는 정도이다. 우산도는 지세가 낮아 날씨가 매우 맑지 않거나 가장 높은 곳에 오르지 않으면 (울릉도에서) 보이지 않는다. 울릉도가 조금 더 높아 풍랑이 잦아지면 (육지에서) 대체로 볼 수 있다는 내용이다.

조선 영조 때의 학자 신경준이 지은 〈강계고〉에 다음과 같은 내용이 기록되어 있다. 이 기록은 우산도가 일본이 말하는 송도(마쓰시마)라고 하여 우산도가 독도임을 분명히 하고 있다. 또한 두 섬 모두 우산국에 속한다고 한 것은 두 섬 모두 조선 영토임을 의미한다.

"내가 살펴보니, 여지지에 일설에 우산과 울릉은 본래 한 섬이라고 하나 도지(圖志)라고 했으니 대체로 두 섬은 모두 우산국이다."

또한 1770년 영조 때 편찬된 일종의 백과사전인 〈동국문헌비고〉에는 "여지지에 이르기를 '울릉과 우산은 모두 우산국 땅인데, 우산은 바로 왜인들이 말하는 송도이다' 라고 하였다."라는 내용을 실어 우산도=마쓰시마=독도임을 분명히 하였다. 이 내용은 1808년의 〈만기요람〉과 1908년의 〈증보문헌비고〉에도 그대로 계승되었다.

조선시대에 들어서는 태종실록에 3회 세종실록에 8회나 등장하여 노래 말에 나오는 세종실록이 이를 뒷받침하고 있으며, 이후로도 문종 성종 숙종 영조 정조로 이어지는 실록과 지도에 지명이 나오고 있지만 중요한 자료만 참고하도록 한다.

만기요람

1808년의 만기요람은 서영보와 심상규등이 만들어낸 책으로 조선왕조의 재정과 군정에 관한 내용을 집약적으로 보여주고 있다. 이 만기요람에서는 "輿地志云 鬱陵于山皆于山國地, 于山則倭所謂松島也"

여지지에 이르기를 울릉과 우산 모두 우산국 땅이다. 우산은 왜가 말하는 송도이다. 독도를 의미하는 우산, 그리고 울릉도를 의미하는 울릉이 동시에 한국의 영토임을 확실히 알 수 있다. 뿐만 아니라 여기서는 일본이 부르는 명칭에 대한 통합이 되어있다. 송도(松島, 마쓰시마)는 당시 일본이 독도를 부르던 이름이었기 때문이다.

신증 동국여지승람

우산국의 명칭에 대한 유래는 알 수 없지만, 1530년, 이행, 윤은보, 신공제, 홍언필, 이사균 등이 증수, 편찬한 신증동국여지승람에는 우산도(독도)와 울릉을 별개로 그려 넣으며, "우산과 울릉이 본래 한 섬이라 하기도 한다."라는 기록으로 보아서, 우산국은 울릉도와 독도를 포함한 국가라고 볼 수 있음을 알 수 있다.

또한, 신증동국여지승람 권 23 동래현 산천조에 실려 있는 대마도 기록 중에서 대마도가 "옛날에 계림(신라)에 예속되었는데, 어느 때부터 일본 사람들이 살게 되었는지 모르겠다."라는 기록을 볼 수 있다. 비록, 후세의 기록이지만 우산국은 대마도를 점령했을 수 있는 거대 해상국가로 볼 수 있고, 그렇기에, 서기 512년, 신라는 울릉도와 우산도(독도)를 포함한 우산국을 편입시켰었다는 점을 분명히 알 수 있다. 따라서 독도는 서기 512년부터 대한민국이 영토였다. 우산도는 대한민국의 영토인 독도이다.

④ 조선시대 실록의 울릉도 독도 자료

■ 1403(태종 3) 8월 (강릉도)관찰사의 장계를 따라 강릉도 무릉도(江陵道 武陵島) 거주민을 육지로 나오게 함(태종실록 권6).

■ 1407(태종 7) 3월 대마도 수호(對馬島 守護) 종정무(宗貞茂)가 잡혀간 사람들을 송환하고 토물을 바치며 무릉도에 옮겨 살기를 청하였으나 거

절함.(태종실록 권13)

■ 1416(태종 16) 9월 삼척사람 전만호, 김인우를 무릉 등지의 안무사로
임명하여 거주민을 쇄환하게 함(태종실록 권32)

■ 1417(태종 17) 2월 김인우가 우산도에서 토산물과 주민 3명을 데리고
돌아와 섬에는 15호 86명이 거주하고 있다고 보고함. 우산·무릉도(于山武
陵)에 주민의 거주를 금하고 거주민을 쇄출하기로 최종 결정하여 수토정책
(搜討政策)이 확립됨.

8월 왜가 우산 무릉(于山武陵)을 노략함.(태종실록 권33, 34)

■ 1425(세종 7) 10월 우산 무릉 등지의 안무사 김인우가 남녀 20명을 잡
아오니, 충청도의 깊은 산군에 정착시키고 3년간 세금을 면제 해 주기로 함.
(세종실록 권30)

■ 1429(세종 11) 12월 봉상시 윤(奉常寺 尹) 이안경(李安敬)을 강원도에
보내어 요도(蓼島)에 대해서 살펴보게 함(세종실록 권46).

■ 1430(세종 12) 1월 봉상시윤(奉常寺尹) 이안경이 요도(蓼島)에 대해서
살펴보고 돌아오니, 함길도 관찰사에게 요도(蓼島)의 지형과 주민의 생활
에 대해서 조사하게 함.

4월 상호군(上護軍) 홍사석과 전농윤, 신인손을 각각 강원도와 함길도에
보내어 요도(蓼島)를 찾아보게 함(세종실록 권47, 48).

■ 1432(세종 14) 『신찬팔도지리지』가 편찬되었는데, '강원도 삼척도호부
울진현조'에 "우산(于山), 무릉(武陵) 두 섬의 정동 쪽 바다에 있는데, 두 섬
은 서로 거리가 멀지 않아 날씨가 맑으면 바라볼 수 있다."라고 기록함.

이 내용은 1454년(단종 2)에 편찬된 『세종실록지리지』에 그대로 실리게
됨(세종실록 권153).

■ 1436(세종 18) 윤 6월 강원도 관찰사 유계문이 무릉도 우산(武陵島牛

山)에 주민을 모으고 만호(萬戶)와 수령(守令)을 설치하자고 하였으나 받아들여지지 않음(세종실록 권73).

- 1438(세종 20) 4월 전(前) 호군 남회와 전 부사직 조민을 '무릉도순심경차관(茂陵島巡審敬差官)'으로 임명.

7월 남회와 조민은 남녀 66명과 토산물을 가지고 돌아옴(세종실록 권81, 82.)

- 1438(세종 20) 7월 강원도 관찰사에게 요도(蓼島)의 위치를 다시 조사하게 함(세종실록 권82).

- 1445(세종 27) 8월 강원도 관찰사에게 요도(蓼島)를 찾는 자에게 포상할 것을 명하고, 또 남회를 보내 찾게 했으나 끝내 실패함(세종실록 권82).

- 1451(문종 원년) 이 해에 『고려사』가 편찬되었는데, '지리지(地理志)' 동계 울진현조에 "울릉도(鬱陵島)는 현의 정동 쪽 바다 가운데 있다. … 일설에는 우산(于山) 무릉(武陵)은 원래 두 개의 섬으로 서로 거리가 멀지 않아 날씨가 맑으면 바라볼 수 있다고 한다"라고 기록하였음(고려사 권58 지리3).

- 1472(성종 3) 2월 병조(兵曹)에서 강원도의 삼봉도(三峯島)를 찾기 위한 절목(節目)을 올림.

4월 삼봉도 경차관(三峯島敬差官) 박종원(朴宗元)이 하직함.

6월 강원도 관찰사가 치계(馳啓)하기를 5월 28일 울진포를 출발한 박종원 일행이 폭풍우를 만나서 박종원이 탄 배는 6월 6일 간성군으로 돌아왔고, 사직(司直) 곽영강 등 나머지 3척은 5월 29일 무릉도(武陵島)에 도착하여 섬을 수색하고 6월 6일 강릉 우계현(羽溪縣)으로 돌아왔다고 함(성종실록 권15, 17, 19).

- 1473(성종 4) 1월 영안도 관찰사 정난종에게 삼봉도(三峯島)와 요도(蓼島)에 대해서 조사하게 함(성종실록 권26).

▪ 1476(성종 7) 6월 김한경(金漢京) 등이 삼봉도(三峯島)에 다녀온 적이 있다고 하므로, 영안도 관찰사 이극균에게 사람을 보내 수색해 보게 함.

10월 영안도 관찰사가 보낸 김자주가 9월 삼봉도를 보고 형상을 그려옴(성종실록 권72)

▪ 1479(성종 10) 윤 10월 영안도 경차관(永安道敬差官) 조위(曹偉)가 김한경, 김자주 등 21명을 10월 27일 삼봉도(三峯島)로 들여보냈음을 보고함. 이들은 삼봉도를 찾지 못하고 돌아옴(성종실록 권110)

▪ 1480(성종 11) 2월 삼봉도 초무사(三峯島 招撫使)의 직책을 피하려 한 상호군(上護軍) 정석희와 훈련원 부정 박종원을 귀양 보냄.

5월 삼봉도 초무사 심안인에게 삼봉도(三峯島) 행차를 중지하게 함(성종실록 권114, 권117).

▪1481(성종 12) 『동국여지승람(東國與地勝覽)』을 편찬, 그 책에 '강원도 울진현 산천조'에 "우산도(于山島), 울릉도(鬱陵島)- 혹은 무릉(武陵), 우릉(羽陵) - 두 섬은 현 정동 쪽 바다에 있는데 날씨가 맑으면 나무 등을 볼 수 있고, 바람이 편하면 2일 만에 도착할 수 있다. 일설에 의하면 우산·울릉이 원래 하나의 섬이라고도 한다. …"라고 하였음.

이 내용은 1530년(중종 25)에 완성된 『신증동국여지승람』에 그대로 전재되었음(신증동국여지승람' 권45 강원도 울진현 산천조).

▪ 1614(조선 광해군 6) 6월 대마도주가 울릉도를 의죽도라 칭하며 섬의 지형을 살피고자 하니 길을 안내해 달라고 청하였기에 이를 거부함.

9월 대마도주가 울릉도(鬱陵島) 거주를 청하니 다시 불가함을 알림(광해군일기 권82, 변례집요 권17 잡조 부 울릉도)

▪ 1693(숙종 19) 안용복(安龍福) 1차 도일.

3월 동래와 울산의 어부 40여 명이 울릉도에서 일본 어부와 충돌했는데,

일본인들이 안용복과 박어둔을 꾀어 은기도로 납치함. 안용복은 은기도주에게 자신들을 잡아온 이유를 따지고, 다시 백기주 태수를 만나 울릉도는 조선의 영토이므로 일본인의 울릉도 왕래를 금해줄 것을 요구함. 백기주 태수는 막부에 보고하고, 이를 준수하겠다는 서계(書契)를 안용복에게 전달함.(숙종실록 권26, 30, 변례집요 권17 잡조 부 울릉도)

11월 대마도주가 안용복과 박어둔을 일본영토를 침입했다는 죄명을 씌워 조선으로 송환함. 대마도주는 울릉도를 죽도(竹島)라 칭하고 죽도는 일본 땅이므로 조선인의 출입을 막아달라는 서계를 함께 보냄.

12월 접위관 홍중하(洪重夏)가 동래 왜관으로 내려와 왜사 귤진중을 만남(숙종실록 권26, 변례집요 권17 잡조 부 울릉도)

■ 1694(숙종 20) 2월 접위관 홍중하(洪重夏) "울릉도는 조선의 영토이며, 죽도는 일본의 영토"라는 조정의 회서를 왜사 귤진중에게 전달함. 왜사가 회서에서 울릉도를 삭제해 달라고 청하였으나, 들어주지 않음.

7월 전 무겸 선전관(前武兼宣傳官) 성초형(成楚珩)이 울릉도에 진을 설치하자고 건의 하였으나, 받아들여지지 않음(숙종실록 권26, 변례집요 권17 잡조 부 울릉도, 숙종실록 권27)

■ 1694(숙종 20) 8월 대마도의 왜사 귤진중이 2월에 받아간 회답서계를 가지고 와서, 울릉도에 관한 문구의 삭제를 다시 요청함. 조정에서는 일본의 간계에 적극적으로 대처하기로 함. 이에 이미 보낸 회서의 내용을 고치기로 하고 유집일(俞集一)을 접위관으로 임명하여 동래 왜관으로 내려보내는 한편, 장한상(張漢相)을 삼척첨사(三陟僉使)로 삼아 울릉도로 파견하여 사정을 살펴보게 함.

유집일은 안용복으로부터 실상을 알아낸 후, 왜사를 꾸짖고 "울릉도와 죽도는 하나의 섬에 붙여진 두 이름이며, 울릉도는 조선의 영토"라는 내용의 2차 회서를 전달함.

장한상은 9월 19에 출발하여 10월 6일에 삼척으로 돌아왔는데, 수로의 불편으로 주민의 거주보다는 정기적으로 수토관(搜討官)을 파견하기로 함. 한편 장한상은 육안으로 울릉도 동남방에 있는 독도를 관망함.(숙종실록 권 26, 변례집요 권17 잡조 부 울릉도. 울릉도사적)

▪1696(숙종 22) 1월 도쿠가와 막부, 일본인의 울릉도 도항 금지를 결정함.

8월 안용복 2차 도일. 재차 일본에 가서 울릉도 문제를 담판 짓고, 강원도 양양현(襄陽縣)으로 돌아온 안용복을 잡아 가둠. 안용복은 평산포(平山浦) 사람 이인성 등과 함께 울릉도와 독도를 거쳐 일본 백기주로 들어가 울릉 자산 양도 감세(鬱陵子山兩島監稅)라 가칭하고, 태수에게 전일의 약속을 지키지 않은 것을 따짐. 백기주 태수는 울릉도 독도지역을 침범한 일본인들을 처벌하였고, 안용복에게 "두 섬은 이미 조선에 속했고, 다시 침범하는 자가 있거나, 대마도주가 함부로 침범할 경우 엄벌에 처하겠다"고 약속함. 안용복은 막부에 대한 상소를 취하 하고 강원도로 돌아옴(숙종실록 권30).

▪ 1697(숙종 23) 1월 대마도에서 왜사가 와서 막부 관백의 명으로 죽도를 조선의 영토로 인정하고 일본인의 출입을 금하였음을 알려옴.

3월 안용복의 공을 인정하여 사형시키지 않고, 귀양 보냄.

4월 3년에 1번씩 울릉도에 수토관을 파견하기로 함(숙종실록 권31, 승정원일기 숙종 23年 4月 13일조, 변례집요 권17 잡조 부 울릉도)

▪ 1699(숙종 25) 7월 강원도 월송만호(越松萬戸) 전회일(田會一)이 울릉도(鬱陵島)를 수토하고 지도와 토산물을 바침.

숙종 24년에 영동지방의 흉년으로 수토관을 파견하지 못했으므로 3년 1회 수토가 정식화 된 후 처음으로 파견된 것임(숙종실록 권33).

▪ 1702(숙종 28) 5월 삼척영장(三陟營將) 이준명이 울릉도를 수토하고

지도와 토산물을 바침(숙종실록 권36)28) 1705(숙종 31).

6월 울릉도(鬱陵島) 수토 후 돌아오는 길에 평해 등의 군관 황인건(黃仁建) 등 16명이 익사한데 대해 휼전을 거행함(숙종실록 42).

■ 1708(숙종 34) 2월 부사직(副司直) 김만채(金萬埰)가 울릉도에 진(鎭)을 설치하자고 상소하였으나, 받아들여지지 않음(숙종실록 권46).

■ 1717(숙종 43) 3월 강원도 관찰사 이만견(李晩堅)이 흉년을 이유로 당해의 울릉도(鬱陵島) 수토를 정지하자는 장계를 올려 받아들임(숙종실록 권59)

■ 1726(영조 2) 10월 강원도 유생 이승수(李昇粹)가 울릉도에 변장(邊將)을 두고 주민을 모아 경작하게 하자고 상소하였으나, 받아들여지지 않음(영조실록 권1).

■ 1735(영조 11) 1월 강원도 관찰사 조최수(趙最壽)가 흉년을 이유로 당해의 울릉도 수토를 정지할 것을 건의했으나, 받아들여지지 않음(영조실록 권40)

■ 1769(영조 45) 10월 영의정 홍봉한의 건의로 문적을 널리 모아 울릉도에 관한 책자를 만들기로 함. 제조 원인손에게 명하여 삼척영장을 지낸 자와 더불어 울릉도의 지형과 물산을 그리게 함(영조실록 권113)

■ 1775(영조 51) 일본 최초로 경위도선을 그려 넣은 나가쿠보 세키스이(長久保赤水)의 일본여지노정전도(日本輿地路程全圖)에 울릉도와 독도가 각각 '다케시마 혹은 이소다케시마(竹島一云磯竹島)', '마츠시마(松島)'로 그려졌다. 울릉도 오른 쪽에 "(이 섬에서) 고려를 보는 것이 이즈모에서 오키도를 보는 것 같다(見高麗猶雲州望隱州)"고 부기하여, 두 섬을 조선의 영토로 구분함(日本輿地路程全圖)

■ 1785(정조 9) 일본의 하야시 시헤이(林子平)가 저술한 삼국통람도설의

부도 '삼국접양지도'와 '조선팔도지도'에서 울릉도와 독도를 조선의 영토로 표기함(삼국통람도설).

- 1787(정조 11) 7월 울산어부 14명이 울릉도(鬱陵島)에서 전복과 향나무, 대나무 등을 채취하고 돌아오다가 삼척 포구에서 잡힘(정조실록 권24)

- 1794(정조 18) 6월 강원도 관찰사 심진현(沈晉賢)이 울릉도 수토결과를 보고함. 수토관 월송만호 한창국은 4월 21일 출발하여 5월 8일에 돌아옴. 그는 4월 26일 가지도(可支島)를 다녀옴(정조실록 권40)

- 1849(헌종 15) - 1월 27일 프랑스 포경선 리앙꼬르(Liancourt)호가 독도를 발견(북위 37도 2분, 동경 131도 46분)하여 'Liancourt Rocks'로 명명함. 이 사실이 프랑스 해군 수로지와 해도에 실림으로써 서양에 알려지게 됨. - 3월 18일 미국 포경선 윌리암 톰슨(William Thompson)호가 독도를 발견(북위 37도 19분, 동경 133도 9분), "세 개의 바위(3 rocks)를 보았다"고 기록함. 이는 조선 성종조의 삼봉도(三峯島)를 상기시키는 대목임.

- 1854(철종 5) - 4월 6일(러시아 구력) 푸쟈친 제독이 지휘하는 러시아 극동 원정대 4척 중 하나인 올리부차호가 마닐라에서 타타르 해협으로 향하던 중 독도를 발견함. 서도는 섬을 발견한 함정의 이름을 따서 '올리부차'로, 동도는 올리부차호의 최초 함정 이름이었던 '메넬라이'로 명명되었고, 두 섬은 조선의 영토로 파악됨. 독도에 관한 올리부차호의 탐사내용은 바스토크호의 울릉도 관측내용 및 팔라다호의 조선 동해안 측량내용과 함께 러시아 해군지(海軍誌) 1855년 1월 호에 실려 1857년 러시아 해군이 작성한 〈조선동해안도〉의 기초자료가 됨.올리부차호 항해일지(1854), 러시아 해군지(1855), 일본 해군성 수로국의 〈조선동해안도(朝鮮東海岸圖)〉(1876).

- 1855(철종 6) - 4월 25일 영국함대가 독도를 발견, 함정 이름을 따서 호넷(Hornet)으로 명명함.영국의 수로잡지(Nautical Magazine)(1856), 프

랑스 해군성의 수로지(1856년판, 제11권)

■ 1870(고종 7) – 1869년 12월 조선에 밀파된 일본외무성 관리들이 귀국하여 1870년 4월 복명서 '조선국교제시말내탐서(朝鮮國交際始末內探書)'를 제출함. 이 복명서에는 '竹島(울릉도)와 松島(독도)가 조선의 영토로 되어 있는 始末'을 조사한 내용이 실려 있음.

■ 1875(고종 12) – 11월 일본육군 參謀局이『朝鮮全圖』를 작성, 이 지도에는 독도가 '松島'로 표기되어 실림으로써, 독도를 竹島(울릉도)와 함께 한국영토로 보고 있었음을 알 수 있다. 일본육군 參謀局의 朝鮮全圖

■ 1876(고종 13) – 일본 해군〈朝鮮東海岸圖〉를 작성함. 이 지도는 1857년 러시아 해군이 제작한 지도를 저본으로 하여 재발행 작전지도인데, 독도를 울릉도와 함께 조선의 부속도서로 표기하였음. – 10월 16일 일본 국토의 地籍을 조사하고 근대적 지도를 편찬하는 과정에서 시마네현에서 내무성으로 죽도(울릉도)와 송도(독도)를 시마네현 지도에 포함시키는지의 여부를 내무성에 질의. 내무성은 이에 대하여 약 5개월간에 걸쳐 시마네현에서 올라온 부속문서와 원록 연간 안용복사건을 계기로 조선과 교섭한 관계문서들을 모두 조사해 본 후, 죽도와 송도는 조선의 영토로 일본과는 관계가 없다는 결정을 내림. 武藤平學 송도개척지의(松島開拓之議)를 일본 외무성에 제출, 해군성이 1878년 4월과 9월 군함 天城丸을 파견, 송도의 실체에 대해 조사결과 송도가 조선의 '울릉도'로 판명되어 무등의 송도개척지의(松島開拓之議) 각하됨.〈朝鮮東海岸圖〉(일본해군성 수로국, 1876)

■ 1877(고종 14) – 3월 17일 내무성은 죽도(울릉도)외 1도(송도–독도)가 일본과 상관없지만, "판도의 취사는 중대한 사건"이라는 이유로 국가최고기관 太政官에게 질품서를 부속문서들과 함께 올려 최종결정을 요청함. – 3월 20일 일본국가최고기관인 太政官은 "품의한 취지의 竹島外 一島의 件에

대하여 本邦은 관계가 없다는 것을 心得할 것"이라는 지령문을 작성. 3월 29일 내무성으로 지령문을 보냄. – 4월 9일 일본 내무성은 태정관의 지령문을 시마네현으로 보냄.(公文錄 內務省之部 1)

■ 1881(고종 18) – 울릉도(鬱陵島)에 일본인 7명이 잠입하여 벌목하다가 搜討官에게 발견되었으므로, 강원도 관찰사 임한수(林翰洙)가 馳啓하여 대비책을 강구할 것을 청함. 5월 22일 統理機務衙門의 啓言에 따라 이에 대한 書契를 일본 외무성에 보내게 하고, 부호군 이규원(副護軍 李奎遠)을 울릉도 검찰사(鬱陵島檢察使)에 임명함. (承政院日記 高宗 18年 5月 22日 條, 日省錄 高宗 18年 5月 22日條, 高宗實錄 권18. 10) 1881(고종 18) – 7월 일본 北澤正誠 '竹島考證'을 작성하고 이를 요약한 '竹島版圖所屬考'를 일본 외무성에 제출함. 일본은 1880년 군함 天成을 울릉도에 파견하여 현지조사를 하는 한편, 北澤正誠으로 하여금 울릉도, 독도의 역사와 관련자료를 조사하게 하였음. 이 보고서는 지금의 松島는 元祿 12년(1699)의 竹島 즉, 울릉도로서 일본영토가 아니라고 결론 내림. 그리고 항에 "울릉도 외에 죽도가 또 있지만, 아주 작은 小島에 불과한 것"이라 하여 독도에 관한 내용을 부가함.竹島考證(上中下), 竹島版圖所屬考

■ 1882(고종 19) – 4월 7일 울릉도 검찰사(鬱陵島檢察使) 이규원(李奎遠)이 하직함. 高宗은 울릉도(鬱陵島) 근방에 있다는 芋山島와 松島 竹島에 대해서 특별히 잘 살피고, 울릉도에 고을을 설치하기 위해서 地圖와 별도의 보고서(別單)를 상세히 작성할 것을 당부함. (承政院日記 高宗 19年 4月 7日條, 日省錄 高宗 19年 4月 7日條, 高宗實錄 권19)

■ 1882(고종 19) – 6월 5일 울릉도검찰사 이규원이 복명함. 그는 4월 30일 울릉도에 도착하여 5월 2일부터 10일까지 조사한 뒤 13일 평해 구산포(平海 邱山浦)로 돌아왔음. 그는 設邑이 가능하며, 羅里洞이 적합하다고

건의함. 또한 조사과정에서 일본인들이 나무를 도벌하고, 標木을 세워 松島라고 하고있는 것을 적발하였으므로, 이를 일본공사와 외무성에 항의 하기로 함.承政院日記 高宗 19年 6月 5日條, 日省錄 高宗 19年 6月 5日條, 高宗實錄 권19, 李奎遠의 鬱陵島檢察日記 '啓本草'

- 1882(고종 19) - 8월 20일 영의정 홍순목(洪淳穆)의 啓言에 따라, 鬱陵島에 島長을 差送케 함. 검찰사 이규원의 건의에 따라 울릉도에 거주하고 있던 함양사람 전석규(全錫奎)를 島長에 임명함.承政院日記 高宗 19年 8月 20日條, 備邊司謄錄 高宗 19年 8月 20日條, 高宗實錄 권19, 李奎遠의 鬱陵島檢察日記.

- 1883(고종 20) - 3월 16일 김옥균(金玉均)이 동남제도개척사 겸 포경등사사(東南諸島開拓使兼捕鯨等事使)로 임명됨.高宗實錄 권20, 21.

- 1883(고종 20) - 4월 일본해군수로국 '환영수로지(寰瀛水路誌)'를 발간함. 제2권 〈조선국일반정세〉에서 독도(リヤコールト 列岩)를 소개함으로써, 독도가 조선의 영토임을 스스로 밝힘. 瀛水路誌 第2卷(日本 海軍水路局, 1883. 4).

- 1883(고종 20) - 4월 울릉도에 첫 이주민 16호 54명이 들어옴. - 7월 조선 정부에서 울릉도에 들어온 첫 이주민의 정착상황을 조사함.光緒 9年 4月 日 鬱陵島開拓時船格糧米雜物容入假量成册, 光緒 9年 7月 日 江原道鬱陵島新入民戶人口姓

- 1884(고종 21) - 1월 11일 동남제도개척사 김옥균이 울릉도장 전석규(鬱陵島長 全錫奎)가 일본인과 담합하여 울릉도의 목재를 일본으로 반출시키고 있다고 장계함에 따라 전석규를 압송하기로 함. 承政院日記 高宗 21年 1月 11日條, 日省錄 高宗 21年 1月 11日條, 備邊司謄錄 高宗 21年 1月 6日, 11日條, 高宗實錄 권21.

■ 1884(고종 21) - 3월 15일 통리군국사무아문(統理軍國事務衙門)에서 울릉도(鬱陵島) 재개척에 있어 먼저 官守를 설치하고 그 후에 백성을 모집하여 땅을 개간하자고 啓언함에 따라 강원도 관찰사로 하여금 조처하게 하고 삼척영장으로 하여금 울릉도첨사를 겸하게 함(職名 : 鬱陵島僉使兼三陟營將). - 6월 30일 통리군국사무아문(統理軍國事務衙門)의 啓에 따라 평해군수(平海郡守)가 울릉도첨사(鬱陵島僉使)를 겸하게 함.承政院日記 高宗 21年 3月 15日條, 日省錄 高宗 21年 3月 15日條, 6月 30日條, 高宗實錄 권21.

■ 1888(고종 25) - 2월 6일 내무부(內務府)의 계청에 따라 울릉도에 도장을 다시 설치하고 평해군 월송포에 만호진을 신설하고 월송진 만호(平海郡越松鎭萬戶)로 하여금 울릉도장(鬱陵島長)을 겸임하게 하고, 왕래하며 검찰케 함.承政院日記 高宗 25年 2月 7日條, 日省錄 高宗 25年 2月 7日條, 高宗實錄 권25. 2월 6일條.

■ 1894(고종 31) - 12월 27일 울릉도가 이미 개척되었으므로, 수토에 필요한 자원의 조달을 위한 '鬱陵島搜討船格什物'을 영구히 혁파함.高宗實錄 권32 12月 27日條, 官報 開國503년(1894, 甲午) 12월 27일.

■ 1895(고종 32, 개국 504) - 1월 29일 울릉도 수토정책(鬱陵島 搜討定策)이 이미 철훼되었으므로, 내무대신(內務大臣) 박영효(朴泳孝)의 上奏에 의해 월송만호(越松萬戶)가 겸하고 있던 울릉도장(鬱陵島長)을 별도로 임명하고, 매년 수차례 배를 보내어 島民의 疾苦를 살피게 함. - 8월 16일 내부대신(內部大臣) 박정양(朴定陽)의 주청에 따라 울릉도(鬱陵島)에 도장(島長)대신 도감(島監)을 設置하기로 함. - 9월 20일 울릉도 사람 배계주(裵季周)를 울릉도감(鬱陵島監)으로 정하고, 판임관(判任官) 대우를 하기

로 함.承政院日記 高宗 32年 1月 29日條, 日省錄 高宗 32年 1月 29日條, 高宗實錄 권33, 官報 開國 504年 1月 29日. 제139호 開國 504

⑤ 대한제국 칙령 제41호

1897년 2월, 고종은 아관파천 1년 만에 경운궁(지금의 덕수궁)으로 돌아왔다. 고종은 연호를 광무로 바꾸었으며, 삼한을 아우른다는 뜻의 '대한'을 새 나라 이름으로 정하고 황제로 즉위하였다. 조선 왕국을 대신하여 대한제국이 성립된 것이다. 일본이 가장 먼저 대한 제국을 승인하였고 다른 나라의 승인도 잇달았다.

"대한 제국은 자주 독립 국가이며, 만세 불변의 전제정치"로 시작하는 최초의 헌법인 대한국 국제를 발표하였다. 이로써 황제는 법적으로도 입법권, 사법권, 행정권, 외교권, 군사 지휘권 등을 보장받는 실질적인 권력자가 되었다.

신분제가 폐지되어 '법 앞에 평등'이란 정신이 자리 잡았다. 과거 제도가 폐지되면서 신교육이 확대되고 신분을 뛰어넘는 관리 등용이 이루어졌다.

대한 제국은 황제를 나라의 상징으로 세우고 '국민'이란 의식을 확산시키기 위한 노력도 기울였다. 황제의 위엄과 권위를 높이기 위한 기념사업을 진행하였으며, 나라의 상징인 태극기 사용을 확대하였다.

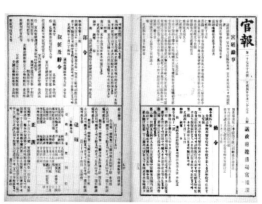

대한제국 칙령 제41호「울릉도를 울도로 개칭하고 도감을 군수로 개정하는 건」 1900년 10월 25일. 소장처:서울대학교 규장각한국학연구원

대한 제국 정부는 간도와 독도 문제 등 국경에 대해서도 분명한 입장을 밝혔다. 정부는 간도의 현황을 파악하기 위해 1897년과 1898년 두 차례에 걸쳐 상세한 현지 조사를 벌였다. 이를 통해 간도가 대한 제국의 영토임을 확인하고, 1902년에는 이범윤을 북변 간도 관리사로 임명하여 간도 주민을 직접 관할하였다. 독도 영유권 문제와 관련해서도 대한제국 정부는 1898년과 1899년에 발행한 지도에서 독도가 대한제국의 영토임을 분명히 하였다. 나아가 1900년에는 관보를 통해 독도가 대한제국의 영토임을 밝힌 칙령 41호를 나라 안팎에 알렸다

대한제국 칙령 제 41호의 내용은 다음과 같다.

鬱陵島를 鬱島로 改稱하고 島監을 郡守로 改正한 件
울릉도를 울도로 이름을 바꾸고, 도감을 군수로 개정하는 건
第一條 鬱陵島를 鬱島라 改稱하야 江原道에 附屬하고 島監을 郡守로 改正하야 官制中에 編入하고 郡等은 五等으로 할 事
제1조 울릉도를 울도라 개칭하여 강원도에 소속하고, 도감을 군수로 개정하여 관제 중에 편입하고 군등은 5등으로 할 일
第二條 郡廳位置는 台霞洞으로 定하고 區域은 鬱陵全島와 竹島石島를 管轄할 事
제2조 군청위치는 대하동으로 정하고 구역은 울릉전도와 죽도, 석도를 관할할 일
第三條 開國五百四年八月十六日官報中 官廳事項欄內 鬱陵島以下十九字를 刪去하고 開國 五百五年 勅令第三十六號 第五條 江原道二十六郡의 六字는 七字로 改正하고 安峽郡下에 鬱島郡三字를 添入할 事
제3조 개국504년8월16일 관보 중 관청사항란에 울릉도 이하 19자를 삭

제하고, 개국 505년 칙령 제36호 제5조 강원도26군의 '6'자는 '7'자로 개정하고 안협군 밑에 '울도군' 3자를 추가할 일

第四條 經費는 五等郡으로 磨鍊하되 現今間인즉 吏額이 未備하고 庶事草創하기로 該島收稅中으로 姑先磨鍊할 事

제4소 경비는 5등군으로 마련하되 현재 이액이 미비하고 서사초창이므로, 이 섬의 세금에서 먼저 마련할 일 - 돈이 별로 없으므로, 세금을 먼저 거둬서 경비를 마련해 써라

第五條 未盡한 諸條는 本島開拓을 隨하야 次第磨鍊할 事

제5조 미진한 여러 조항은 이 섬을 개척하면서 차차 다음에 마련할 일

附則

부칙

第六條 本令은 頒布日로부터 施行할 事

제6조 본령은 반포일로부터 시행할 일

光武四年十月二十五日 광무4년 10월25일

1900년, 대한제국은 칙령 41호를 발표함으로써, 독도는 울도군 관할하의 섬임을 재확인시켰다. 이 칙령의 주 내용은 울릉도와 죽도, 석도(독도)를 울도군 관할하에 편입시킨다는 것이다.

하지만, 일본은 여기서의 석도는 관음도라 억지를 쓰고 있다.

관음도는 절대로 돌과 관련된 섬이 아니며, 깍새섬과 도항과 같은 다른 이름이 더 있었기에, 관음도를 석도라고 따로 부를 이유는 없었다. 또한, 한국 역사기록에 독도란 이름은 1906년, 울릉군수의 보고서에 처음 나타나는데 이에 앞서 1900년에 독도라는 명칭은 등장할 수가 없었다. 그리고, 울릉도 사람들은 독도를 독섬(돌섬)이라고 불렀는데, 이를 당시의 관례에 따

라 한자로 표기할 때 의미를 따르면 석도(石島)가 되고 발음을 따르면 독도가 된다. 발음을 따라서 한자로 표기하는 이러한 표기법은 일본에서도 통용되는 표기법이다.

이렇게 대한제국은 독도를 세계에 대한제국의 땅임을 알렸다. 하지만, 5년 뒤인 1905년 1월 28일, 일본은 독도를 무명, 무국적(무주지)인 무인도로 규정을 하고, 2월 22일에는 독도의 이름은 죽도(竹島)로 바꾼 후, 시마네현에 강제 편입시켰다.

여기서 일본은 큰 오차가 있다, 일본은 1905년 전만 해도 송도(마쓰시마)라고 부르고 있었기에, 독도는 절대로 무명이 아니었다. 또한, 일본은 1870년에 독도를 조선의 부속으로 포함시키고, 1877년에는 독도를 일본 영토 외로 정한 공식문서가 있으므로, 무주지도 아니었다. 일본은 단지, 독도를 시마네현에 강제 편입시키기 위해 무명, 무주지, 무인도로 만들고, 마쓰시마였던 본 이름을 다케시마라 바꿔 불러, 일본은 독도를 1905년에 처음 발견된 섬이라고 꾸며 세계를 속였다.

1906년 3월 28일 울도(을릉도) 군수 심흥택은 울릉도를 방문한 일본 시마네현 관민 조사단으로부터 일본이 독도를 자국 영토에 편입하였다는 소식을 듣고, 다음날 강원도 관찰사와 내부에 보고서를 올렸다. 심흥택 군수의 보고를 받은 강원도 관찰사서리 춘천군수 이명래는 1906년 4월 29일 의정부에 보고서를 올렸다.

⑥ 보고서 호외

본 군 소속 독도가 본부 바깥바다 백여리 밖에 있었는데, 이달 초 4일 9시경에 증기선 1쌍이 우리군 도동포에 도착하여 정박하였고, 일본 관원일행이 관사에 도착하여, 스스로 말하기를 독도가 이번에 일본의 영지가 되었기에 이번에 시찰차 나온 것이다 하는바, 그 일행은 일본 시마네현 은기도사 동문보와 사무관 신서유태랑, 세무감독국장 길전평오, (경찰)분서장 영산암팔랑과 경찰 1명, (의회)의원 1명, 의사, 기술자 각 1명, 그외 수행인원 10여인이고, 먼저 가구, 인구, 토지와 생산의 많고 적음을 물어보고, 인원과 경비등 제반 사무를 조사하여 적어 갔으므로, 이에 보고하오니 살펴주시기를 엎드려 청하옵니다.

　광무 10년 4월 29일

　강원도관찰사서리 춘천군수 이명래

　의정부 참정대신 합하

　이 후, 이 보고서를 받은 한국 정부는 다음과 같은 지령 제3호를 내렸다.

　"보내온 보고는 읽어 알고 독도가 일본 영토가 되었다는 이야기는 전혀 근거가 없으니, 섬의 형편과 일본인이 어떻게 행동하였는지를 다시 조사 보고할 일"

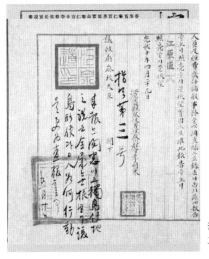

하지만 일본은 일본이 시마네현에 독도를 편입시킬 때, 아무도 항의하지 않았다는 점을 근거로, 한국의 모든 자료가 허구라고 주장하고 있지만, 당시 한국은 1904년 이후, 일본에게 침략을 당했었고, 1905년에는 을사

1900년 대한제국 칙령 제41호를 수록한 관보
울릉도와 죽서도, 석도를 관할하는 행정구역으로 울릉군을 설치한다는 대한제국 칙령41호를 게재하여 고시하였다.

늑약으로 외교권까지 박탈당했기 때문에 항의할 수 있는 상황은 아니었다.

⑦ 울도군의 배치 전말

1906년 7월13일자 〈황성신문〉 '울도군의 배치전말' 기사를 통해서도 알 수 있다.

1906 황성신문 죽도 석도 (1906년 7월13일자 황성신문 원문)

　鬱島郡의 配置顚末

　統監府에서 內部에 公函하되 江原道 三陟郡 管下에 所在 鬱陵島에 所属島嶼와 郡廳設始 年月을 示明하라는 二十日에 鬱陵島監으로 設始 하였다가 光武四年十月二十五日에 政府會議를 經由하야 郡守를 配置하니 郡廳 島는 竹島石島오`東西가 六十里오 南北이 四十里니, 合 二百餘里라고 하였다더라.

번역하면,

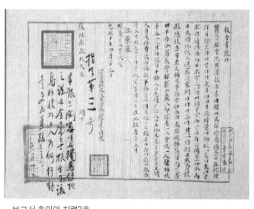

보고서 호외와 지령3호

통감부에서　내부에 알리되, 강원도 삼척군 관하 소재의 울릉도에 부속하는　도서(島嶼)와 군청이 처음 설치된 연월을 자세히 알리라 하였다 이에 회답하되, 광무 2년(1898) 5월 20일에 울릉도감으로 설립하였다가 광무 4년(1900) 10월 25일에 정부 회의를 거쳐 군수를 배치하였으니, 군청은 태하동에 두고 이 군이 관할하는 섬은 죽도와 석도요, 동서가 60리요 남북이 40리니 합 200여리라고 하였다더라.

1906년 7월 3일자 〈황성신문〉 울릉군의 배치전말

이러한 증거들을 볼 때 독도(獨島)는 대한제국이 영유권을 주장하고 있을뿐만 아니라, 울릉도 군청이 관할하고 있었음을 명백히 알 수 있는 것이다.

5) 근대 이후 독도 역사

■ 1848(헌종 14) 4월 17일 미국 포경선 체러키(Cheroke)호가 독도를 발견함(북위 37도 25분, 동경 132도 00분).

■ 1849(헌종 15) 1월 27일 프랑스 포경선 리앙꼬르(Liancourt)호가 독도를 발견(북위 37도 2분, 동경 131도 46분)하여 'Liancourt Rocks'로 명명함. 이 사실이 프랑스 해군 수로지와 해도에 실림으로써 서양에 알려지게 됨.

3월 18일 미국 포경선 윌리암 톰슨(William Thompson)호가 독도를 발견(북위 37도 19분, 동경 133도 9분), "세 개의 바위(3 rocks)를 보았다"고

기록함. 이는 조선 성종조의 삼봉도(三峯島)를 상기시킨다.

■ 1854(철종 5) 4월 6일(러시아 구력) 푸쟈친 제독이 지휘하는 러시아 극동 원정대 4척 중 하나인 올리부차호가 마닐라에서 타타르 해협으로 향하던 중 독도를 발견함. 서도는 섬을 발견한 함정의 이름을 따서 '올리부차'로, 동도는 올리부차호의 최초 함정 이름이었던 '메넬라이'로 명명되었고, 두 섬은 조선의 영토로 파악됨. 독도에 관한 올리부차호의 탐사내용은 바스토크호의 울릉도 관측내용 및 팔라다호의 조선 동해안 측량내용과 함께 러시아 해군지 1855년 1월 호에 실려 1857년 러시아 해군이 작성한 '조선동해안도'의 기초자료가 됨. 올리부차호 항해일지(1854), 러시아 해군지(1855), 일본 해군성 수로국의 '조선동해안도'(1876).

■ 1855(철종 6) 4월 25일 영국함대가 독도를 발견, 함정 이름을 따서 호넷(Hornet)으로 명명함. 영국의 수로잡지(Nautical Magazine)(1856), 프랑스 해군성의 수로지(1856년판, 제11권)

■ 1870(고종 7)~ 1869년 12월 조선에 밀파된 일본외무성 관리들이 귀국하여 1870년 4월 복명서 '조선국교제시말내탐서(朝鮮國交際始末內探書)'를 제출함. 이 복명서에는 '죽도(울릉도)와 송도(독도)가 조선의 영토로 되어 있는 시말'을 조사한 내용이 실려 있음.

■ 1875(고종 12) 11월 일본육군 참모국이 『조선전도』를 작성, 이 지도에는 독도가 '송도(松島)'로 표기되어 실렸고 독도를 죽도(竹島)와 함께 한국영토로 보고 있었음을 알 수 있다.

■ 1876(고종 13) 일본 해군 '조선동해안도'를 작성함.

이 지도는 1857년 러시아 해군이 제작한 지도를 저본으로 하여 재발행 작전지도인데, 독도를 울릉도와 함께 조선의 부속도서로 표기하였음.

10월 16일 일본 국토의 지적을 조사하고 근대적 지도를 편찬하는 과정에서 시마네현에서 내무성으로 죽도(울릉도)와 송도(독도)를 시마네현 지도에 포함시키는지의 여부를 내무성에 질의. 내무성은 이에 대하여 약 5개월간에 걸쳐 시마네현에서 올라온 부속문서와 원록 연간 안용복사건을 계기로 조선과 교섭한 관계문서들을 모두 조사해 본 후, 죽도와 송도는 조선의 영토로 일본과는 관계가 없다는 결정을 내림. 무등평학 송도개척지의(松島開拓之議)를 일본 외무성에 제출, 해군성이 1878년 4월과 9월 군함 천성환 (天城丸)을 파견, 송도의 실체에 대해 조사결과 송도가 조선의 '울릉도'로 판명되어 무등의 송도개척지의(松島開拓之議) 각하됨.

■ 1877(고종 14) 3월 17일 내무성은 죽도(울릉도) 외 1도(송도-독도)가 일본과 상관없지만, "판도의 취사는 중대한 사건"이라는 이유로 국가최고기관 태정관에게 질품서를 부속문서들과 함께 올려 최종결정을 요청함.

3월 20일 일본국가최고기관인 태정관은 "품의한 취지의 죽도 외 일도의 건에 대하여 본방은 관계가 없다는 것을 심득(心得)할 것"이라는 지령문을 작성. 3월 29일 내무성으로 지령문을 보냄.

4월 9일 일본 내무성은 태정관의 지령문을 시마네현으로 보냄.

■ 1881(고종 18) 울릉도에 일본인 7명이 잠입하여 벌목하다가 수토관에게 발견되었으므로, 강원도 관찰사 임한수이 치계하여 대비책을 강구할 것을 청함.

5월 22일 통리기무아문의 계언에 따라 이에 대한 서계를 일본 외무성에 보내게 하고, 부호군 이규원(副護軍 李奎遠)을 울릉도 검찰사(鬱陵島檢察使)에 임명함. (승정원일기 고종 18년 5월 22일조, 일생록 고종 18년 5월 22일조, 고종실록 권18.

■1881(고종 18) 7월 일본 북택정성 '죽도고증'을 작성하고 이를 요약한 '죽도판도소속고'를 일본 외무성에 제출함.

일본은 1880년 군함 천성을 울릉도에 파견하여 현지조사를 하는 한편, 북택정성으로 하여금 울릉도, 독도의 역사와 관련자료를 조사하게 하였음. 이 보고서는 지금의 송도는 원록 12년(1699)의 죽도 즉, 울릉도로서 일본영토가 아니라고 결론 내림. 그리고 항에 "울릉도 외에 죽도가 또 있지만, 아주 작은 소도에 불과한 것"이라 하여 독도에 관한 내용을 부가함.

- 1882(고종 19) 4월 7일 울릉도 검찰사 이규원이 하직함. 고종은 울릉도 근방에 있다는 우산도와 송도 죽도에 대해서 특별히 잘 살피고, 울릉도에 고을을 설치하기 위해서 지도와 별도의 보고서(별단)를 상세히 작성할 것을 당부함.(승정원일기 고종 19년 4월 7일조, 일생록 고종 19년 4월 7일조, 고종실록 권19)

- 1882년 4월 29일 일행 1백여 명이 세척의 배로 출항, 일행은 검찰사 이규원, 중추도사 심의완, 군관 출신 서상학, 전 수문장 고종팔, 화원 유연호, 기타 선원 82명, 포수 20명 등 대규모 조사단

4월 30일 저녁 무렵, 울릉도 서안 소황토구미(학포)에 도착

포구에서 전라도 흥양 삼도 사람 김재근이 23명을 데리고 배를 만들고, 미역 등을 채취하면서 살고 있는 것을 확인

고종 임금은 일본의 울릉도 불법 잠입 등에 항의하도록 하고 울릉도 재개척에 큰 열의를 보임(이규원의 울릉도 검찰일기)

- 1882(고종 19) 6월 5일 울릉도 검찰사 이규원이 복명함. 그는 4월 30일 울릉도에 도착하여 5월 2일부터 10일까지 조사한 뒤 13일 평해 구산포(平海 邱山浦)로 돌아왔음.

설읍이 가능하며, 나리동이 적합하다고 건의함. 또한 조사과정에서 일본인들이 나무를 도벌하고, 표목을 세워 송도라고 하고 있는 것을 적발하였으므로, 이를 일본공사와 외무성에 항의하기로 함(승정원일기 고종 19年 6月

5일조, 일생록 고종 19年 6月 5일조, 고종실록 권19, 이규원의 울릉도검찰
일기 '계본초')

■ 1882(고종 19) 8월 20일 영의정 홍순목(洪淳穆)의 계언에 따라, 울릉
도에 도장을 차송케 함. 검찰사 이규원의 건의에 따라 울릉도에 거주하고
있던 함양사람 전석규를 도장에 임명함(승정원일기 고종 19년 8월 20일조,
비변사등록 고종 19년 8월 20일조, 고종실록 권19, 이규원의 울릉도검찰
일기)

■ 1883(고종 20) 3월 16일 김옥균(金玉均)이 동남제도개척사 겸 포경등
사사(東南諸島開拓使兼捕鯨等事使)로 임명됨(고종실록 권20, 21).

■ 1883(고종 20) 4월 일본해군수로국 '환영수로지'를 발간함. 제2권 '조
선국일반정세'에서 독도(リヤコールト 列岩)를 소개함으로써, 독도가 조선의
영토임을 스스로 밝힘(환영수로지 제2권, 일본 해군수로국, 1883. 4).

■ 1883(고종 20) 4월 1,2차로 울릉도에 첫 이주민 16호 54명이 들어옴.
7월 조선 정부에서 울릉도에 들어온 첫 이주민의 정착상황을 조사함.
(광서 9년 4월 울릉도개척시선격량미잡물용입가량성책, 광서 9년 7월 강
원도울릉도신입민호인구성)

■ 1884(고종 21) 1월 11일 동남제도개척사 김옥균이 울릉도장 전석규(
鬱陵島長 全錫奎)가 일본인과 담합하여 울릉도의 목재를 일본으로 반출
시키고 있다고 장계함에 따라 전석규를 압송하기로 함(승정원일기 고종 21
년 1월 11일조)

■ 1884(고종 21) 3월 15일 통리군국사무아문(統理軍國事務衙門)에서
울릉도 재개척에 있어 먼저 관수(官守)를 설치하고 그 후에 백성을 모집하
여 땅을 개간하자고 계언함에 따라 강원도 관찰사로 하여금 조처하게 하
고 삼척영장으로 하여금 울릉도첨사를 겸하게 함(직명 : 울릉도첨사겸삼

척영장).

6월 30일 통리군국사무아문의 계에 따라 평해군수가 울릉도첨사를 겸하게 함(승정원일기 고종 21年 3月 15일조, 일생록 고종 21년 3월 15일조, 6월 30일조, 고종실록 권21).

■1895(고종 32, 개국 504) 1월 29일 울릉도 수토정책이 이미 철훼되었으므로, 내무대신(內務大臣) 박영효(朴泳孝)의 상주에 의해 월송만호(越松萬戶)가 겸하고 있던 울릉도장을 별도로 임명하고, 매년 수차례 배를 보내어 도민의 질고를 살피게 함.

8월 16일 내부대신(內部大臣) 박정양(朴定陽)의 주청에 따라 울릉도(鬱陵島)에 도장(島長)대신 도감(島監)을 설치하기로 함.

9월 20일 울릉도 사람 배계주(裵季周)를 울릉도감(鬱陵島監)으로 정하고, 판임관(判任官) 대우를 하기로 함(승정원일기 고종 32년 1월 29일조, 일생록 고종 32년 1월 29일조, 고종실록 권33, 관보 개국 504年 1月 29日. 제139호 개국 504)

■ 1898(대한제국 광무 2) 5월 30일 칙령 제12호(5월 26일)로 울릉도감(鬱陵島監) 설치를 반포함. 도감은 본토인으로 임명하고, 판임관(判任官) 대우를 함(고종실록 권37, 관보 제962호 광무 2년 5월 30일)

■1899(대한제국 광무 3) 12월 19일 일본인의 도벌과 횡포가 계속되므로, 내부대신 이건하의 주청으로 울릉도에 시찰위원을 파견하기로 함. 시찰위원에는 우용정이 임명됨(고종실록 권39, 관보 제1448호 광무 3년 12월 19일).

■ 1888(고종 25) 2월 6일 내무부(內務府)의 계청에 따라 울릉도에 도장을 다시 설치하고 평해군 월송포에 만호진을 신설하고 월송진 만호(平海郡 越松鎭萬戶)로 하여금 울릉도장(鬱陵島長)을 겸임하게 하고, 왕래하며 검

찰게 함(승정원일기 고종 25년 2월 7일조, 일생록 고종 25년 2월 7일조, 고종실록 권25. 2월 6일조).

■ 1894(고종 31) 12월 27일 울릉도가 이미 개척되었으므로, 수토에 필요한 자원의 조달을 위한 '울릉도수토선격십물'을 영구히 혁파함(고종실록 권32 12월 27일조, 관보 개국 503년(1894, 갑오) 12월 27일).

■ 1900(대한제국 광무 4) 5월 31일 울릉도시찰위원 우용정과 부산 주재 일본영사관보 적총정보(釜山駐在日本領事館補 赤塚正補) 등 한일 양국의 조사단이 울릉도에 도착하여, 6월 5일까지 일본인의 비행과 재목 도벌 및 세금징수 여부에 대해 조사하고, 도내의 실정과 도세를 파악함.

6월 15일 우용정이 돌아와 보고서를 제출하고, 일본인의 조속한 철수와 울릉도 관제의 개편을 건의함.

10월 27일 칙령 제 41호(10월 25일)를 반포하여 울릉도를 울도(鬱島)로 개칭하고, 도감(島監)을 군수(郡守)로 바꿈으로써, 강원도의 27번째 군으로 지방관제(地方官制)에 편입됨. 칙령에 의하면 군청의 위치는 태하동(台霞洞)으로 하고, 울도군수의 관할구역은 울릉전도와 죽도(댓섬), 석도(독도)로 함. 도감을 군수로 개정하였으므로, 현임도감 배계주(裵季周)가 초대 군수가 되었으며, 울릉군을 남면과 북면으로 나눔에 따라 독도는 울릉군 남면에 속하게 됨(우용정의 울도기와 보고서, 고종실록 권40, 관보 제1716호 광무 4년 10월 27일)

■ 1904(대한제국 광무 8) 2월 10일 일본 러시아에 선전포고.

2월 23일 '제1차 한일의정서' 강제조인. 이로써 일본은 러일전쟁을 위해 한국영토를 임의로 점령, 사용할 수 있게 됨.

8월 22일 '제1차 한일협약' 강제조인. 일본 대한제국의 정부 내에 재정과 외교고문을 설치함.

9월 1일 러시아함대의 감시를 위해 울릉도에 설치한 망루(동남, 동북 2곳, 배원(용인 포함) 각 7명)가 준공됨(9월 2일 업무개시).

9월 24일 독도에 망루설치가 가능한지 조사하기 위해 일본군함 신고가 울릉도를 출발. 신고호는 독도에 대해 "리앙꼬루도암은 한인은 이를 독도라 하고 본방 어부들은 양고도라고 호칭"하며, 망루설치가 가능하다는 보고서를 작성함.

9월 29일 일본 어민 중정양삼랑 "독도를 일본영토에 편입하고, 자신에게 빌려달라"는 '리앙꼬도령토 편입 병대하원'을 외무성, 내무성, 농상무성에 제출함.

11월 20일 독도가 한일 간을 연결하는 해저전선의 중계지로 전신소 설치에 적합한지를 조사하기 위해 일본군함 '대마'가 독도에 도착함(관보 호외 광무 8년 3월 8일, 극비명치 삼십칠팔년 해전사, 군함신고 전시일지, 도근현지(1923), 은기도지(1933), 군함 대마 전시 일지)

■ 1905(대한제1900국 광무 9) 1월 28일 일본 각의에서 중정양삼랑의 청원을 받아들이는 형식을 빌려 "독도는 주인 없는 무인도(無主地)로서, '다케시마(竹島)'라 칭하고 일본 도근현 은기도사의 관할 하에 둔다"고 일방적으로 결정.

2월 22일 일본 소위 '시마네현(島根縣)고시 40호'를 날조하여 국제법상 무주지 선점에 있어 '영토 취득의 국가 의사'라는 요건을 모두 충족시켰다는 합법성을 가장하려 함. 이 고시는 실제 고시되었다는 증거가 없음.

5월 17일 일본 독도를 관유지로서 시마네현 토지대장에 등재함.

6월 13일 일본군함 교립호가 독도의 망루 설치 방법에 대해 조사하고 돌아감.

7월 16일 울릉도 북망루 준공. 8월 16일부터 업무 개시, 배원(용인 포함)

11명.

8월 19일 일본 독도 망루 준공(준공일부터 업무 개시, 배원 4, 용인 2명).

9월 5일 러일강화조약(포츠머드조약) 체결, 한국에서의 일본의 특수권익이 열강에 의해 인정됨.

10월 8일 울릉도 북망루와 독도 망루 사이에 해저전선 부설.

11월 9일 독도와 일본 시마네현 마쯔에(島根縣 松江) 사이에 해저전선 부설.

11월 17일 일본 '제2차 한일협약(을사늑약)'을 강제하여, 대한제국의 외교권을 완전 박탈. 추록촌역장본 '시마네현(島根縣)고시 40호'(회람용)(교립전시일지, 극비명치 삼십칠팔년 해전사).

■ 1906(대한제국 광무 10) 2월 1일 통감부와 통감 휘하의 리사청이 업무를 개시, 대한제국은 일본 통감의 지배 하에 들어감.

3월 28일(음력 3월 4일) 도근현 제3부장 신서유태랑과 은기도사 동문보 등이 울도(鬱島)를 방문하여 울도군수 심흥택(鬱島郡守 沈興澤)에게 독도가 일본영토가 되었으므로 시찰차 왔다고 함. 이에 심흥택은 다음 날 강원도 관찰사 서리인 춘천군수 이명래(李明來)에게 "본군소속 독도…"로 시작되는 긴급보고서를 올렸으며, 이명래는 4월 29일 이 내용을 내부와 의정부에 보고함. 이 보고에 대해 내부대신 이지용은 "독도를 일본속지라고 칭하는 것은 전혀 이치가 없는 것이니, 지금 이 보고한 바가 심히 아연할 일"이라 하였고, 의정부 참정대신 박제순(議政府參政大臣 朴齊純)은 "독도가 일본영토라는 것은 전혀 근거 없는 것이며, 독도의 형편과 일본인의 동향을 다시 조사해 보라"는 지령을 보냄.

9월 24일 울도군(鬱島郡)을 강원도로부터 경상남도로 이속 시킴(각관찰도안 제1책, 광무 10년 4월 29일조 보고서호외, 지령 제3호, 구한국관보

3570호 부록(광무10년 9월 28일 금요일, 칙령 제4)

일본 참모본부가 육지측량부지도구역일람도(陸地測量部地圖區域一覽圖)를 작성함. 이 지도는 중일전쟁 직전까지 점령한 지역을 구역별로 나누어 파악한 것으로, 지도에 의하면 독도는 원래 조선의 영토로서 명치집권 후 일본이 강제점령한 지역이 됨. 이 지도는 당시 일본최고의 정확성과 공신력을 가지는 것임. 『육지측량부지도구역일람도』(1936, 육지측량부 작)

■ 1945년 9월 2일 연합국과 일본 대표는 동경만 미국 전함 미주리(Missouri)호 선상에서 항복 문서에 공식 서명함. 태평양지구 미군 사령관 더글라스 맥아더(Douglas MacArthur)는 점령군 사령관으로서 일본의 어로활동을 일본 혼슈[本州]·홋카이도[北海道] 주변의 일정 해역에 한정하는 조치(MacArthur Line)를 선포함. 이 때 독도는 물론 제외 되었음.

9월 6일. 항복 이후 미국대통령이 SCAP(연합군 최고 사령관, Supreme Commander of the Allied Powers)에 전달한 '미국의 초기정책 지침(United States Initial Post-Surrender Policy for Japan)'에서는 일본 "주권(Japanese Sovereignty)"의 지리적 범위를 다음과 같이 한정함. "혼슈[本州]·홋카이도[北海道]·규슈[九州]· 및 시코쿠[四國]와 주변 제 소도(小島)"

9월 27일. 일본의 어로(漁撈)활동 제한 조치(MacArthur Line)의 범위를 확장함(독도는 물론 제외됨).

11월 3일. 미국 대통령이 SCAP에게 보낸 '일본의 점령과 관리를 위한 초기 지침(Basic Initial Post-Surrender Directive to the SCAP for the Occupation and Control of Japan)'에서 점령군 사령관이 행사할 권한의 적용에 있어 일본 영역범위를 다음과 같이 정의함. "일본의 4개 본도(本島) 즉 홋카이도[北海道]·혼슈[本州]·규슈[九州] 및 시코쿠[四國]와 대마도(對馬島)를 포함한 1000여 개의 인접한 제 소도(小島)"

■ 1946년 1월 29일 연합국최고사령부(SCAP)이 일본 제국정부에게 보낸 '약간의 주변 지역을 정치상 행정상 일본으로부터 분리하는 각서(Governmental and Administrative Separation of Certain Outlying Areas from Japan)' 즉 '연합군 최고 사령부 훈령 제677호(SCAPIN No.677)'에서는 일본의 종래 식민통치 영역에 대한 주권적 관할을 다음과 같이 분리함.

"일본의 영역은 일본의 4개 본도(本島) 즉 홋카이도[北海道]·혼슈[本州]·규슈[九州] 및 시코쿠[四國]와 대마도(對馬島)를 포함한 1000여 개의 인접한 제 소도(小島)로 제한하고", "울릉도·독도·거문도 및 제주도를 일본의 영역 범위에서 제외함"(3항)· "한국에 대한 일본 제국정부의 정치적 행정적 관할을 배제함."(4항)(연합국 최고사령부는 위 근거에 의해 독도를 주한 미군정에 이관하였고 미군정은 이를 1948년 8월 15일 정부 수립 후 대한민국 정부로 반환. 그러나 일본은 지령 677호는 행정권의 정지였을 뿐 영토의 처분은 아니라고 해석)

6월 22일 연합국 최고사령부는 일본 제국정부에게 보낸 '연합군 최고 사령부 훈령 제1033호(SCAPIN No.1033)'에서 '일본의 어업 및 포경업을 위한 인가구역의 설정(Areas Licenced for Japanese Fishing and Whaling)'에서 일본의 선박과 승무원은 독도로부터 12해리 이내에 접근하지 못하고 이 섬에 어떠한 접촉도 불가함을 명시하였다.

■ 1947년 미국 3월 20일자로 연합국의 대일본강화조약 초안(제1차 초안)을 작성. 영토조항 1조 "일본의 영토 한정은 제2, 3조에서 한정되는 바와 같이 1894년 1월 1일 현재의 것으로 될 것이다. 이러한 한정은 本州, 九州, 四國, 北海道의 4개 기본 섬과 주변의 모든 작은 섬들을 포함할 것이

다. 쿠릴 열도는 제외되지만, 流球열도는 포함된다." 4조 "일본은 이에 韓國과 제주도, 거문도, 울릉도, 독도를 포함한 근해의 모든 작은 섬들에 대한 모든 권리와 권원을 포기한다." 한편, 이 초안에는 연합국의 [구일본영토 처리에 관한 합의서(AGREEMENT RESPECTING THE DISPOSITION OF FORMER JAPANESE TERRITORIES)]가 첨부되어 있음. 이 문서의 제3항 일본이 한국에 반환할 영토에는 한반도 본토와 주변의 모든 섬(all offshore Korean islands)으로 되어 있는데, 여기에 대표적 예로 든 도서로서 제주도, 거문도, 울릉도와 함께 독도를 Liancourt Rocks: Takeshima 로 표기해 넣음으로써, 이 섬이 한국의 영토임을 명확히 하였음. 이 합의서에는 일자가 없으나 대일본강화조약 1947년 1차 초안부터 1949년 5차 초안까지 서류철에 모두 복사되어 철해져 있음.

6월 19일 연합국 극동위원회가 "일본의 주권은 本州, 北海道, 九州, 四國의 諸島와 금후 결정될 수 있는 주위의 諸小島에 한정될 것"이라는 [일본 항복 후 對日基本政策] 을 발표함. 일본은 독도를 반환하지 않을 수도 있다는 기대하에 독도가 일본영토라는 여론을 일으킴.

8월 5일 연합국의 대일본강화조약 초안(2차 초안)이 미국에 의해 작성됨. 내용은 1차 초안과 대동소이 함.

8월 16일-25일 한국산악회의 주관으로 [울릉도·독도 종합학술조사]를 실시함(단장 신석호). 각 섬들의 크기와 높이를 실측하고, 식물 및 수산물을 채집한 후 [산악회보고서]와 수산물 결과 발표함.

■ 1948년 1월 2일 연합국의 대일본강화조약 미국초안(제3차 초안)이 작성됨. 내용은 1, 2차 초안과 대동소이 함.

6월 8일 미공군기의 폭격연습으로 독도에 출어중이던 한국어민이 30여명의 사상자를 내고, 어선 10척이 침몰되는 사건 발생. 배상액의 규모가 부분적으로 알려졌는데, 울진군 죽변 어업조합의 경우 5백 2십만원의 피해를 입은 어민에게 68만원 정도가 지급된 것이 알려짐.

■ 1949년 11월 2일 연합국의 대일본강화조약 미국초안(제5차 초안)이 작성됨. 6조에 1-4차 초안의 4조와 같은 내용이 들어있음.

11월 14일 도쿄 멕아더 사령부 정치고문국 고문 시볼드(연합국최고사령부 외교국장)가 5차 초안을 검토하고 맥아더와 상의한 후 워싱턴의 일본문제 담당 버터워스 국무부 차관보에게 독도귀속 수정(남한이 아닌 일본으로)을 電文으로 건의함("제6조 리앙쿠르岩(다케시마)의 재고를 권고한다. 이들 섬에 대한 일본의 주권은 오래됐으며 정당하다고 생각된다. 안전보장의 고려가 이 섬에 기상 및 레이더 관측소를 상정할 수 있을지도 모른다").

11월 19일 도쿄의 시볼드가 미국무장관앞으로 서면 의견서를 발송. 〈11월 2일 조약초안에 관한 상세한 코멘트(DETAILED COMMENT ON NOVEMBER 2DRAFTTREATY)〉

"한국방면에서 일본이 일찍이 영유하고 있던 도서들의 처분에 관하여 리앙쿠르암(다케시마)이 우리가 제안한 제3조에서 일본에 속하는 것으로 명기될 것을 제안한다. 이 섬에 대한 일본의 영토주장은 오래됐고 정당하다고 생각하며, 또한 그것을 한국 바다의 섬이라고 하는 것은 곤란하다. 또한 미국의 이해와 관계되는 문제로서 안전보장의 고려에서 이 섬에 기상 및 레이더 관측소를 설치하는 것이 고려될 수 있을지도 모른다".

12월 12일 미 국무부 정보조사국이 대일강화조약 체결과정에 한국의 참여 여부에 대해 "한국에 대한 협정국적 지위 혹은 자문국적 지위의 공식적 참가를 배제"해야 한다는 의견서를 제출. 이 의견서는 강화조약 준비 관련국과 관련자들이 모두 열람한 것으로 되어 있음.

12월 29일 미국 대일강화조약 6차 초안에서 3조 일본영토 규정조항에 처음으로 독도를 Takeshima(竹島, Liancourt)라는 호칭으로 일본영토에 포함시키고, 일본이 포기하는 한국영토 조항인 6조에서는 제주도, 거문도, 울릉도만 남기고 독도를 제외시킴.

■ 1950년 연합국 1949~1950년 〈舊日本領土 처리에 관한 合意書〉를 작성, 당시 1951년으로 예정되었던 대일본 강화조약을 준비. 제3조 한국에 반환해야 할 영토 "연합국은 한국 본토와 모든 주변의 한국 섬들에 대한 권리와 권원을 대한민국의 주권에 이양할 것에 합의하였다. 그 섬들은 제주도, 거문도, 울릉도, 獨島(Liancourt Rocks, Takeshima)와 모든 다른 섬들을 포함한다." 부속지도도 작성 첨부.

6월 8일 당시 경상북도지사 曺在千의 참석 하에 독도폭격사건으로 사망한 어민들을 위해서 '독도조난어민위령비'를 건립함.

7월 대일강화조약 제6차 미국초안에 대한 주석. "독도(Takeshima)는 한국과 일본의 등거리 중간 지점에 있는데, 명백하게 1905년에 일본이 영토편입을 주장하여 도근현 은기도사의 관리하에 두었다. 또한 독도는 바다사자의 서식지인데, 일본 어부들은 특정 계절에 독도에 이동 거주해 온 것이 장기간이 되었다. 울릉도와 달리 다케시마는 한국 명칭이 없으며, 한국 영토라고 주장된 바도 없다. 독도는 미군점령기에 공군 폭격연습장으로 사용된 바 있으며, 기상 및 레이더 관측소 부지로서의 가치를 가지고 있다".

8월 7일 대일강화조약 제7차 미국초안 작성됨. 일본과 한국의 영토조항을 삭제하고 중국과 소련에 반환되는 섬 이름만 언급하는데 그침.

9월 11일 대일강화조약 제8차 미국초안 작성됨. 영토조항이 더욱 간략하게 되어 제4항에서 일본은 한국의 독립을 인정하고 한국과의 관계는 유엔 총회와 안전보장이사회의 결정에 의거한 관계를 갖는다고만 규정. 부수한 각서에도 한국에 대해서는 독립 인정 이외에는 언급하지 않았음.

■ 1951년 2월 28일 〈대일강화조약 1차 영국초안〉 작성됨. 미국측이 7차 미국초안붙터 영토처리를 불분명하게 하자 영국이 독자초안을 작성하기 시작. 영토문제에 대해서는 선을 그어서 일본 근해의 섬들을 일본의 주권하에 포함시키겠다고 하면서 한국방향으로는 울릉도와 제주도를 일본 영토권안에 포함시킴. 이 잘못은 3월 2차 초안에서 바로 수정됨.

3월 23일 〈대일강화조약 제9차 미국초안〉 작성됨. 일본 영토 조항을 설정하지 않고 제3장의 영토조항 제3항에 일본은 한국에 관한 모든 권리, 권원, 청구권을 포기한다고만 명시하고 구체적인 섬의 명칭들은 언급하지 않음.

3월 〈대일강화조약 2차 영국초안〉 작성됨. 한국과 관련해서 제1항에서 제주도와 福江島 사이, 한반도와 對馬島 사이, 獨島(Takeshima)와 隱岐島 사이를 연결하는 선을 그음으로써 제주도와 獨島를 한국영토에 포함시키고, 對馬島와 隱岐島를 일본영토에 포함시켜 원래 연합국이 합의했던 대로 복원시킴.

5월 2일 〈대일강화조약을 위한 영미토론〉 워싱턴에서 이날 오전 10시 30분에 개최된 제7차 영, 미 양국 실무자 토론회의 자료. 1-6차 토론 내용은 자료가 없어 알 수 없으며, 이 7차 토론회의 내용도 요약기록(summary record)이라 하여 결론만 남겨 놓았으므로 토론과정은 알 수 없음. 이 토론요약에서는 일본이 주권을 포기하는 영토만을 특칭하는 것이 바람직하다고 하면서, 미국 초안 3항에 제주도, 거문도, 울릉도의 3개섬을 끼워 넣자는 의견에 합의했다고 하였음. 일본영토의 규정을 빼므로써 독도의 귀속처가 애매모호하게 됨.

5월 3일 〈제1차 영미합동초안〉 작성. 영토를 다룬 장의 제2항에서 일본은 한국에 대한 모든 권리, 권원, 청구권을 포기한다고 하고, 괄호 안에 제주도, 거문도, 울릉도를 포함한다는 문구를 넣음.

6월 1일 〈영미합동초안(5월 3일자)에 대한 연합국 토론〉. 뉴질랜드가 5월 3일자 영미합동초안에 대해서 반대함. 3차 영국초안처럼 1조에 경위선을 정확히 표시하여 일본영토를 정확히 한정시켜 일본 주변에 있는 어떠한 섬에 대해서도 주권분쟁의 여지를 남기지 않도록 하자고 주장. 이에 대해 미국은 "그렇게 하는 경우 일본에게 울타리를 친 것 같이 보여서 심리적으로 일본에게 불이익을 줄 것 같아 영국초안을 사용하지 않기로 미, 영간에 합의했다. 동경에서 영국초안을 토론할 때 일본인들이 영국초안에 반대했기 때문에 이 안을 폐기했으며, 한국영토에 제주도, 거문도, 울릉도를 포함시키는 미국초안을 가지고 영국측을 설득했다"라고 답함. 이로써 미국이 전후 독도 귀속 문제의 처리과정에서 한국과 일본에 각기 다른 즉, 불평등한 입장으로 대처했다는 것이 드러난 것임.

6월 14일 〈영미합동개헌초안〉 작성. 제2장 영토부분에서 제2조 a항에서 "일본은 한국의 독립을 인정하고, 제주도, 거문도, 울릉도를 포함한 한국에 대한 모든 권리, 권원, 청구권을 포기한다"는 문장으로 처리하고, 일본의 영토에 대한 설명은 생략하므로써 독도는 한국영토표시에서 누락되었고, 일본영토에도 표시되지 않았다. 일본영토 표시조항 자체가 생략되므로써 추후 영토분쟁의 여지를 남김.

9월 8일 샌프란시스코에서 〈대일본강화조약〉이 체결됨. 2조 a항에 "일본은 제주도, 거문도, 울릉도를 포함한 조선에 대한 모든 권리를 포기한다"고 하므로써 1946년 〈SCAPIN 677호〉의 "제주도, 거문도, 울릉도, 독도"가 "제주도, 거문도, 울릉도"로 변경되었음.

■ 1952년 1월 18일 한국전쟁발발 후 일본어선의 맥아더 라인의 침범이 잦아짐에 따라 한국정부가 〈인접해양의 주권에 대한 대통령 선언〉(국무원

고시 제14호)을 공포 함(일명 평화선, 혹은 李라인). 그 범위는 북위 38도 동경 132도 50분까지로 독도를 기점으로 하는 것임.

1월 28일 일본정부 평화선 선포에 항의함과 동시에 독도에 대한 한국 영유권을 부정하는 외교문서(구술서)를 보내 옴. 이로써 한일간 독도영유권 논쟁이 본격적으로 촉발 됨.

2월 12일 한국정부, 일본정부의 1월 28일자 구술서를 반박하고 독도영유권을 재천명하는 구술서를 일본정부에 보냄.

4월 25일 맥아더 라인 폐기 됨. 일본정부, 한국정부에 2월 12일자 한국정부의 구술서를 반박하는 구술서를 보냄.

4월 28일 샌프란시스코 대일강화조약 발효.

7월 26일 미일합동위원회 미일행정협정 2조에 따라 독도 및 주변해역을 주일 미군의 해상훈련구역으로 지정(일본은 외무성 고시 34호로 이를 공시).

9월 15일 미군 독도에 2차 폭격훈련을 감행 함.

11월 10일 한국정부 미대사관에 폭격사건의 재발방지를 요구하는 공문을 보냄.

12월 4일 미대사관 한국정부에 독도를 폭격연습지로 사용하지 않을 것이라는 답장 보냄.

■ 1953년 4월 25일 일본정부, 한국정부에 독도가 일본영토라는 내용의 항의 외교문서를 보내옴.

5월 28일 시마네현 어업시험장의 시험선 시마네호가 독도에 침입.

6월 22일 일본정부, 한국정부에 시마네호가 동년 5월 28일 11시경 해산물 실험조사를 위해 독도부근에 들어가 보았더니 약 30명의 한국인들이 독도와 그 수역에서 해산물를 채취하고 있는 것을 발견했는데, 이것은 일본영토인 다케시마에 대한 한국인들의 불법침입으로 이에 엄중 항의하며 이를 방지해 달라는 요지의 항의 구술서를 보내옴.

6월 25일 오후 4시 30분 경 미국기를 단 일본 수산시험청 소속 선박이 독도에 침입. 승무원 9명이 독도에 상륙, 머물고 있던 한국인 6명에게 체류이유를 따지고 사진을 찍었으며, 우리 정부가 건립한 표지판의 사진도 찍은 후 오후 7시경 돌아 감.

6월 26일 한국정부, 일본정부의 6월 22일자 구술서에 대한 반박 구술서를 일본정부에 보냄. 그 내용은 독도가 한국영토의 일부임은 이미 밝힌 바와 같이 의문의 여지없이 명백하고, 따라서 한국정부는 한국인들이 한국 영해에서 어로작업에 종사하는 것은 매우 합법적이고 적절한 것이라고 평가하며, 일본정부는 한국정부에 항의서를 제출할 입장에 있지 않다는 요지였음.

6월 27일 오전 10시경 미국기를 단 일본선박이 독도에 침입. 8명의 일본인이 독도에 상륙, 6월 25일 한 행동과 동일한 행동을 하고 오후 3시경 돌아감.

6월 28일 오전 8시 경 일본 해상보안청 소속 오키호와 구주류호가 독도에 침입. 약 30여 명의 일본 관리들과 경찰관들이 독도에 상륙하여 "島根縣隱地郡 五箇村 竹島" 라고 쓴 2개의 경계표와 2개의 게시판을 설치함. 게시판의 하나는 "일본 국민 및 상륙을 위해 합법적 절차를 밟은 외국인을 제외하고, 일본정부의 허가를 받지 않는 모든 사람의 출입을 금함"이라는 효지의 글. 일본인 관리들은 6명의 한국 어부들을 권총으로 위협하면서 독도는 일본영토이므로 떠나라고 요구한 후 오전 10시경 독도를 떠남.

7월 8일 대한민국 국회 일본의 독도침범에 대해 결의문을 채택함. "대한민국의 주권과 해양주권선의 침해를 방지하기 위한 적극적인 조치를 취하여 금후 독도에 대한 한국어민의 출로를 충분히 보장할 것. 일본관헌이 건립한 표식을 철거할 뿐 아니라 금후 여타한 불법침해가 재발되지 않도록 일본정부에 엄중 항의할 것."

7월 10일 경상북도의회는 일본이 6월 25일, 27일, 28일 3번에 걸쳐 미국기를 달고 독도에 침범, 어로작업 중인 한국인을 축출하고, 한국의 영토표식과 위령비를 파괴하고, 그들의 게시판을 설치한데 대해 중앙정부가 강력한 조치를 취할 것을 건의함.

7월12일 일본 관리 30명 독도에 파견.

7월 13일 일본측 구술서. '일본정부견해'를 보내옴.(일본정부견해 1)

8월 4일 한국측 구술서. 일본 관헌의 표식 건립에 항의.

8월 8일 일본측 구술서. 8월 4일자 한국측 구술서 반박.

8월 22일 한국측 구술서. 일본 公船의 한국 영해 침범에 항의.

9월 9일 한국측 구술서. '한국정부견해'를 보냄.(한국정부견해1)

9월 17일 오전 9시 30분경 일본 수산시험청 소속 선박 1척 독도수역 침입, 12시 30분경 어업시험관을 포함한 일본관리들이 독도에 상륙.

9월 26일 한국측 구술서. 일본 公船의 영해침범에 항의.

10월 3일 일본측 구술서. 일본정부견해를 다시 보내올 것을 통보.

■ 1954년 2월 10일 일본정부, '일본정부견해 2'를 수록한 구술서를 보내옴.

2월 26일 일본 자국민에게 독도지역에 대한 인광석(燐鑛石) 채굴권을 허가하고 광구세를 징수하기 시작함.

5월 18일 한국정부, 관리들과 석공을 파견하여 일본관리들이 만든 표지판을 철거하고, 독도 남동쪽 암벽에 '韓國領'과 태극기를 새겨 넣음.

5월 23일 일본정부, 해상보안청 순시선 츠루가호를 독도에 파견, 한국령과 태극기가 새겨져 있음을 확인.

6월 14일 일본, 한국선(韓國船) 영해침범과 한국정부의 암벽 조각물 및 한국어부들의 어로활동에 대한 항의 구술서 보내옴. 같은 날 한국정부 역시 일본에 日本公船 영해침범과 5월 23일의 일본 순시선 츠루가호의 독도

침입, 5월 28일 또 다른 선박 1척의 독도침입 및 승무원의 상륙, 한국측 표지물의 사진촬영 사실에 대해 항의 구술서 보냄.

6월 16일 일본, 순시선 츠루가호를 독도에 파견.

7월 28일 일본, 순시선 나가라호와 쿠주류호를 파견, 한국 어부들의 어로작업과 한국측이 세운 영토표지판 및 태극기를 관찰하고 사진을 찍음.

8월 15일 독도 동도 정상에 무인등대 설치.

8월 23일 일본, 순시선 오키호 독도에 파견. 오키호는 서도 북서쪽 해안에 접근하다가 서도 해안의 독도의용수비대로부터 약 10분간 600발의 경고사격을 받음.

8월 24일 경북도에서 제작한 독도영토표지석 동도에 설치. 같은 날 일본은 순시선 오키호를 파견, 섬 주위를 선회하다가 한국정부가 건립한 등대를 발견하고 철거를 요구해 옴.

8월 26일 일본은 일본순시선 피격에 대한 항의 구술서를 보내옴.

8월 27일 일본, 독도에의 한국기 게양과 등대건립에 대한 항의 구술서를 보내옴.

8월 30일 한국, 일본 공선의 영해침범에 대한 항의 구술서를 일본 정부에 보냄.

9월 1일 한국은 일본측 8월 27일자 구술서에 대한 반박과 함께, 연이은 일본 순시선의 영해 침입에 강경 항의.

9월 15일 3종의 독도 도안 우표 발행함(일본은 이 우표가 첨부된 한국의 우편물을 반송하려 하였으나, 반송이 어렵게 되자 우표에 먹칠을 한 채 배송하였음). 같은 날 한국정부, 일본정부에 등대설치 사실 통고.

9월 24일 일본, 등대설치에 대한 항의 구술서를 보내옴.

9월 25일 일본정부, 등대설치에 대한 항의와 함께, 한국정부에 대해 한일간의 독도문제는 국제법의 기본적 원리 해석을 포함한 영유권 분쟁으로, 분쟁의 평화적 해결을 위해 국제사법재판소에 최종결정을 위임하자고 제의해 옴.

10월 2일 일본 해상보안청 순시선 오키호와 나가라호가 동도 1.5마일내로 접근, 한국 독도의용수비대원 7명이 대포(나무 대포)의 덮개를 벗기고 순시선을 향해 사격태세를 갖추자 철수함.

10월 21일 일본, 독도에 '대포 설치'된 것에 대한 항의 구술서를 보내옴.

10월 28일 한국정부, 일본정부의 '독도문제 국제사법재판소 회부'제의를 거부함. "한국이 독도영유권을 갖고 있음은 논란의 여지도 없는 것. 일본정부는 마치 독도에 대한 영유권을 가진 것처럼 전제하면서, 존재하지도 않는 '독도영토분쟁'을 만들어 비록 일시적일지라도 한국과 대등한 입지에 서려고 하는 것".

11월 19일 일본정부는 독도도안우표가 붙은 한국 우편물을 반송하기로 의결함.

11월 21일 일본, 해상보안청 순시선 오키호와 헤쿠라호를 독도에 파견. 헤쿠라호가 동도로부터 1,500야드 떨어진 해안에 접근하자 한국의 독도의용수비대가 연기신호를 이용, 철수할 것을 명령. 순시선이 이를 무시하고 더욱 접근하므로 의용수비대 오전 6시 58분부터 7시 사이 5발의 포탄으로 경고 사격 함.

11월 29일 일본, 한국정부에 독도우표발행에 대해 '독도를 한국영토로 세계에 알리려는 선전활동' 이라고 항의해 옴.

11월 30일 일본정부, 일본 순시선 피격에 대해 항의해 옴.

12월 13일 한국정부, 독도의 무장과 우표발행의 합법성을 천명. "독도는 한국영토의 일부, 독도를 그린 우표의 발행은 대한민국정부의 통치권내의 일이므로 일본정부는 이에 항의할 위치에 있지 않다"

12월 30일 한국정부, 일본정부에 일본어선의 영해침범을 항의하는 구술서를 보냄.

1955년 7월 8일 한국정부, 독도에 신등대(新燈臺) 건립.

8월 8일 한국정부, 일본정부에 신등대 설치를 통보.

8월 16일 일본정부, 한국의 등대, 창고 설치에 항의해 옴.

8월 24일 일본정부, 한국의 등대설치 통고를 인정하지 않는다는 구술서를 보내옴.

8월 31일 한국정부, 일본정부에 등대 설치 등에 대한 합법성을 재천명하는 구술서를 보냄.

■ 1956년 9월 20일. 일본정부, '한국정부견해(2)'를 반박하는 구술서를 보내옴. 또한 25일 독도가 일본영토임을 주장하는 장문의 구술서 '일본정부견해(3)'을 보내 옴.

■ 1957년 4월 19일 일본정부, 순시선 츠가루호를 독도에 파견, 독도의 시설물들을 관찰.

5월 8일 일본정부, 독도에 한국官民의 상주, 등대의 상존에 항의하는 구술서를 보내 옴.

6월 4일 한국정부, 일본의 구술서를 반박하고 츠가루호의 독도수역 침범에 강력히 항의하는 구술서를 일본정부에 보냄.

8월 11일 일본정부, 순시선을 파견. 독도를 관측함.

10월 6일 일본정부, 다시 한국관민의 상주와 등대의 상존에 항의하는 구술서를 보내 옴.

10월 20일 일본정부, 순시선을 파견. 독도를 관측.

12월 25일 일본정부, 또다시 한국官民의 상주와 등대 상존에 항의하는 구술서를 보내 옴.

1958년 1월 7일 일본정부, 독도의 한국官民상주와 등대 상존에 대한 항의구술서 보내옴.

5월 7일 일본 순시선을 파견, 독도를 관찰.

9월 10일 일본 순시선을 파견, 독도를 관찰.

10월 6일 일본정부, 독도의 한국官民상주와 등대 상존에 항의하는 구술서를 보내옴.

- 1959년 1월 7일 '한국정부견해(3)'을 일본정부에 보냄.

9월 15일 일본 순시선 헤쿠라호 독도 해역 침범.

9월 18일 일본순시선 영해침범에 대한 항의 구술서를 일본정부에 보냄.

9월 23일 일본정부, 한국정부의 9월 18일자 구술서를 반박. "다케시마(竹島−독도)는 일본영토이므로 한국정부는 항의할 위치에 있지 않다"

12월 8일 일본 해상보안청, 순시선을 독도에 파견.

12월 13일 한국정부, 일본순시선의 영해침범에 항의하고, 9월 23일자 일본 구술서를 반박함.

- 1960년 12월 22일 일본정부, 독도에 등대를 비롯한 건조물이 상존하고 있는 것에 대한 항의구술서 보내옴.

- 1961년 1월 5일 한국정부, 1960년 12월 22일자 일본의 항의 구술서에 대한 반박 구술서를 보냄.

12월 3일 일본정부, 순시선 헤쿠라호를 독도에 파견.

12월 25일 일본정부, 독도에서의 한국인 철수와 시설물 철거를 요구하는 구술서를 보내옴.

12월 27일 한국정부, 12월 25일 일본 구술서에 대한 반박 구술서를 보냄. "일본정부의 그러한 요구는 내정간섭임을 지적하며 강력히 반박, 헤쿠라호는 독도 동쪽 한국영해 500미터 지점까지 침입했다가 물러갔는데 다시는 이러한 침입이 재발하지 않도록 적절한 대책을 세우기를 일본에 강력히 촉구"

■ 1962년 2월 3, 4일자 '한국일보' 보도. "한국아마추어무선연맹 회원 5명과 한국일보 기자 2명이 한국해군이 제공한 선박을 타고 2월 2일 독도에 상륙하여 7일간 독도에 머물면서, 독도가 한국영토라는 메시지를 외국과 교신하기로"

2월 10일 일본정부, 한국아마추어무선연맹 회원들의 독도에서의 활동에 대해 강력히 항의하는 구술서를 보내옴.

7월 13일 '일본정부견해(4)'를 수록한 일본측 구술서가 보내져 옴.

12월 22일 일본 순시선 오키호가 독도를 선회 관찰함.

■ 1963년 1월 8일 경상북도 울릉경찰서 소속 순시선 화랑호가 폭풍으로 시마네현에 표류함.

2월 5일 일본정부가 한국경비정이 독도에 무기를 반입하는 것에 대해 항의구술서를 보내옴.

2월 25일 한국정부, 일본의 2월 5일자 구술서에 대한 반박구술서 보냄. "일본당국이 화랑호를 구조해 준 것에 대해서는 감사하지만 독도가 한국영토이므로 일본정부는 항의할 위치에 있지 않으며, 한일회담이 개최되어 국교정상화 협상이 진행되고 있는 중에 일본 순시선 오키호가 독도수역을 침입한 것은 우호적인 것이 아니다"

■ 1964년 1월 31일 일본정부, 해상보안청 순시선 헤쿠라호를 독도에 파견.

3월 3일 일본정부, 독도에서의 한국경찰 즉시 퇴거를 요구하는 구술서를 보내옴.

3월 18일 한국정부, 일본의 3월 3일자 구술서에 대한 반박 구술서를 보냄.

11월 2일 한국정부, 일본 외무성 발간 '오늘의 日本' 내용 중 독도부분(죽도는 일본영토인데 한국이 불법점령하고 있다)에 대한 항의 구술서를 보냄.

11월 12일 일본정부, 한국의 11월 2일자 구술서에 대한 반박 구술서를 보내옴(죽도는 일본영토의 불가분의 일부이므로 한국측의 항의를 접수하지 않는다).

- 1965년 2월 13일 일본 해상보안청 순시선 오키호가 독도를 관찰.

2월 22일 한일기본조약 조인됨.

3월 울릉군 주민 최종덕(崔鍾德)씨 도동어촌계 1종 공동어장 수산물 채취를 위해 독도에 들어가 거주하면서 어로활동 시작함.

4월 10일 일본정부, 독도에서의 한국경찰의 즉시 퇴거를 요구하는 구술서를 보내옴.

5월 6일 한국정부, 4월 10일자 일본정부의 구술서에 대한 반박구술서를 보냄.

6월 22일 한일 기본협정 체결. 〈한일 양국간 분쟁의 평화적 처리에 관한 교환공문〉 작성됨. 일본은 "교환공문의 '양국간 분쟁 해결에 관한 합의조건'에 따라 독도문제에 대해서도 한국은 일본측의 제안에 따를 의무가 있다"고 주장함. 이에 우리정부는 "이 교환공문은 '한일협정에서 발생하는 양국간의 분쟁해결에 한정하는 합의조건'이므로, 한국의 영토임이 분명한 독도문제는 여기에 포함되지 않는다"고 반박함.

한일어업협정 체결, 평화선 철폐.

12월 17일 한국정부 '일본정부견해(4)'에 대한 반박 구술서를 보냄. "과거 여러차례 논란의 여지 없이 명백히 밝혀진 바와 같이 독도는 대한민국영토의 불가분의 일부이고, 한국의 합법적 영토권 행사 밑에 있다. 독도영유권에 관련하여 일본정부가 제기한 어떠한 주장도 전혀 고려할 가치가 없다."

- 1968년 5월 최종덕(崔鍾德)씨 독도에 시설물 건립 착수.
- 1969년 8월 15일 일본 해상보안청 순시선 헤쿠라호가 독도를 관찰함.

10월 28일 일본정부, 독도에서의 한국경찰의 즉시 퇴거를 요구하는 구술서를 보내옴.

11월 25일 한국정부, 일본순시선의 영해침범에 대해 항의함.

- 1970년 9월 13일 일본 해상보안청 순시선 헤쿠라호 독도를 관찰.

11월 13일 일본정부, 한국의 불법점유에 대해 항의하며, 한국인의 철수와 시설물의 철거를 요구하는 구술서를 보내옴.

11월 24일 한국정부, 일본순시선의 영해침범에 대한 항의 구술서를 보냄.

- 1971년 7월 1일 일본 해상보안청 순시선 나가라호가 독도를 관찰.

9월 6일 일본정부, 한국의 불법점유에 대한 항의와 한국인의 철수와 시설물의 철거를 요구하는 구술서를 보내옴.

10월 12일 한국정부, 일본의 9월 6일자 구술서에 대한 반박 구술서를 보냄.

- 1972년 4월 1일 일본측구술서(NO. 30/ASN). 한국의 반항구적 등대(태양열) 설치계획에 항의.

"한국정부가 독도의 등대를 태양열을 사용하는 반영구적 등대로 교체하려는 계획을 갖고 있음을 확인했는데, 이것은 한국정부가 앞으로도 장기간 독도를 불법점유 할 의사를 표시한 것으로 간주할 수밖에 없다."

5월 15일 한국정부, 일본의 4월 1일자 구술서에 대한 반박 구술서를 보냄. "한국영토인 독도에 대한 정당한 주권행사에 일본측이 간섭함은 유감"

8월 22일 일본 해상보안청 순시선 헤쿠라호가 독도를 관찰.

10월 26일 일본정부, "독도에 대한 한국의 불법점유에 항의하며, 한국인의 철수와 시설물의 철거를 요구"하는 구술서를 보내옴.

12월 11일 한국정부, 일본의 10월 26일자 구술서에 대한 반박 구술서를 보냄.

■ 1973년 4월 25일 일본정부, 독도개발계획 보도에 항의 구술서를 보내옴. " 한국정부가 독도수역어업개발조사계획을 가지고 있다고 하는데 이것이 만일 다케시마(독도)의 3마일 이내 영해를 포함한 것이라면 일본의 영해를 침범한 것이고, 12마일 이내의 수역을 포함한 것이라면 일본의 전관수역을 침범하는 것이다."

5월 7일 한국정부, 일본의 4월 25일자 구술서에 대한 반박 구술서를 보냄. "독도수역어업개발조사계획은 한국정부의 정당한 영토주권의 행사."

■ 1975년 9월 9일 일본 해상보안청 순시선 헤쿠라호 독도를 관찰.

11월 19일 일본정부, 독도에서의 한국관리의 즉시퇴거 및 건물철거를 요구하는 구술서를 보내옴.

11월 24일 한국정부, 11월 19일자 일본 구술서에 대한 반박 구술서를 보냄.

■ 1976년 8월 제2차 울릉도 독도에 대한 종합학술조사(한국자연보호협회 주관) 실시, 〈사연과 보존〉 제22, 23호에 결과 발표.

9월 8일 일본정부, 독도에서의 아마추어 이동무선국 설치와 학술조사 활동에 대한 항의 각서를 보내옴. "조선일보 8월 4일자에 한국햄연맹 독도원정대가 한국정부의 해양경비정편으로 7월 27일 독도에 도착해서 '아마추어 이동무선국'을 설치했다는 보도와, 중앙일보 8월 20일자에 한국의 학술조사단이 한국정부의 해양경비정으로 7월 27일 독도에 도착했다는 보도가 있다"고 지적하고, "일본정부는 한국의 아마추어 무선가들 및 학술조사단이 일본영토인 다케시마(독도)에 불법상륙했을 뿐 아니라, 한국정부의 公船인 해양경비정이 이들을 지원했다는 사실은 독도분쟁을 더욱 악화시키는 도발적 행위로서 유감을 표시한다"는 내용.

9월 13일 한국정부, 9월 8일 일본정부의 각서를 반박하는 외교문서를 보냄.

10월 25일 일본정부, 독도에서의 한국관리의 즉시퇴거 및 시설물의 철거를 요구하는 구술서를 보내옴.

12월 2일 한국정부, 10월 25일자 일본정부 구술서에 대한 반박 구술서를 보냄.

■ 1977년 9월 제3차 울릉도 독도에 대한 종합학술조사(경북대학교 주관)실시, 《울릉도 독도 답사기요》 발표.

■ 1979년

鬱陵郡 南面을 鬱陵邑으로 승격 시킴. 이에 따라 독도는 울릉군 남면에서 울릉읍에 속하게 됨.

■ 1981년 9월 제4차 울릉도 독도에 대한 종합학술조사(한국자연보호협회 주관) 실시, 《울릉도 및 독도 종합학술조사보고서》를 발표 함.

10월 14일 울릉군 주민인 최종덕(崔鍾德)씨가 최초로 독도에 주민등록을 이전 함(울릉읍 도동리 산67번지).

■ 1982년 11월 16일 독도일원을 '천연기념물 제336호 독도 해조류(海鳥類) 번식지'로 지정 함.

12월 10일 유엔해양법협약이 채택 됨.

■ 1987년 7월 8일 최종덕씨의 사위 조준기(趙俊紀)씨 내외가 최종덕씨와 같은 주소(산67번지)로 주민등록함. 조준기씨 내외는 1991년 2월 9일 산63번지로 이전하였고, 1994년 3월 31일자로 독도에서 전출 하였음.

9월 23일 최초의 독도주민 최종덕씨 사망함.

■ 1991년 11월 17일 김성도(金成道)씨 부부 1세대 2명이 독도로 주소지

를 옮김(울릉읍 도동리 산63번지). 이들은 현재 어로활동에 종사하며 독도의 유일한 주민으로 현지에 거주하고 있음. 한편, 2000년 4월 7일 독도리 신설로 이들의 주소지는 울릉읍 독도리 산20번지로 변경되었음.

12월 울릉도 독도간 전화 케이블 설치.

■ 1994년 11월 16일 1982년 12월 10일 채택되었던 유엔해양법협약이 발효됨.

■ 1996년 1월 29일 한국 유엔해양법협약 비준서 유엔사무총장에게 기탁(85번째).

2월 한일 양국 EEZ 선포방침을 발표.

2월 20일 일본 이케다 유끼히코 외상 제136회 중의원 예산위원회에서 독도영유권문제에 있어서 일본의 입장이나 주장은 종래부터 일관돼 온 것이며, 독도가 그들의 영토라는 입장을 분명히 함.

2월 27일 중의원 같은 회의에서 하시모토 류타로 일본총리는 배타적 경제수역을 설정하는데 일부 수역의 제외는 고려하고 있지 않다는 입장을 밝힘. 일부 수역은 독도주변 해역을 가리킴.

2월 28일 일본 전국 어업자 약6000명이 도쿄 부도칸(武道館)에 모여 일본정부에 배타적 경제수역의 전면설정, 전면적용을 강력히 요구함.

6월 7일 중국 유엔해양법협약 비준.

6월 14일 일본 200해리 EEZ법 실시 국내법 공포(배타적 경제수역 및 대륙붕에 관한 법률 (법74호)). 7월 20일 발효.

6월 20일 일본 유엔해양법협약 비준.

7월 20일 일본 200해리 배타적 경제수역법 시행 (부칙 1조).

8월 8일 한국 200해리 EEZ법 실시 국내법 공포('배타적 경제수역법(법5151호)', '배타적 경제수역에 있어서의 외국인어업에 관한 주권적 권리의 행사에 관한 법률').

8월 13일 한일양국정부 일본 외무성에서 행한 '유엔해양법협약에 기초한 양국간의 배타적 경제수역의 경계획정에 관한 1차 교섭'에서 독도영유권 문제와 경제수역의 경계획정 문제는 분리하여 진행한다는 방침을 확인함.

9월 10일 한국 200해리 배타적 경제수역법 시행 (EEZ시행일에 관한 규정 (령15145호).

■1997년 3월 6-7일 한국과 일본은 EEZ경계문제와 어업협력협의를 분리 협의하기로 합의함에 따라, 서울에서 EEZ경계획정 협의와는 별도로 한일간 어업협의 실무자 회의가 시작됨(제1차 한일 어업협의 실무회담).

6월 일본 확장된 직선기선을 적용, 일본 서해안에서 조업하는 한국어선을 나포하기 시작함.

8월 4일 〈독도 등 도서지역의 생태계보존에 관한 특별법〉 제정안이 국회에 제출됨.

8월 8일 울릉도에 독도박물관 개관됨.

8월 15일 일본 시마네현 마츠에 지방재판소 단독심 판결에서 나포된 한국어선 대동호의 영해침범 사건이 공소기각 됨.

9월 3일 일본과 중국은 일중 수교 25주년기념 정상회담에서 동중국해에 양국간의 잠정조치 수역을 설정키로 최종 합의 함(양국은 문제의 조어대/첨각열도에 대한 영유권 귀속 문제를 보류하고, 잠정조치 수역설정에 합의 함-북위 27도-30도 40분 사이의 구역에서 각 연안국은 각기 그 해안에서 52해리까지를 전속관할 수역으로 하고 그 나머지 수역을 공동관리수역으로 한다).

10월 10일 제6차 한일어업실무자 회담이 동경에서 열림. 한국은 동해에 잠정수역을 설정하자고 하는 일본의 제의를 받아들임.

11월 6일 서동도 접안시설 축조공사 준공기념식이 울릉도에서 열림.

11월 7일 서동도 접안시설 축조공사 준공기념비 제막식이 독도(동도)에서 열림.

11월 24일 서동도 접안시설 축조공사 준공됨(준공검사원 제출).

12월 31일 〈독도 등 도서지역의 생태계 보존에 관한특별법〉(법률 제 5447호) 제정.

■ 1998년 1월 23일 일본정부 김태지 주일한국대사를 불러 한일어업협정의 종료 통고를 함으로써, 1965년에 체결된 한일어업협정을 일방적으로 파기함.

11월 28일 신한일어업협정('어업에 관한 대한민국과 일본국과의 사이의 협정')이 서명됨.

12월 11일 일본국회 신한일어업협정 승인.

12월 1954년 8월 초점등한 독도무인등대를 유인등대로 승격(3명).

■ 1999년 1월 6일 한국국회 신어업협정 비준동의안 가결.

1월 22일 한일양국 정부간 비준서 교환으로 한일간에 유효기간 3년의 '신한일어업협정'이 발효됨. 새로운 어업협정에 따라 독도와 주변 12해리가 한일간 '중간수역' 안에 위치하게 됨.

6월 1일 문화재청 고시 제 1999-1호로 문화재 보호법 제16조 규정에 의한 국가지정 문화재 관리 단체지정 및 천연기념물 제336호 독도관리지침 고시.

12월 10일 문화재청 고시 제 1999-25호로 독도의 문화재 명칭이 '천연기념물 제336호 독도 해조류 번식지'에서 '천연기념물 제336호 독도 천연보호구역'으로 변경됨.

2. 옛지도 속의 독도

2011년 2월 23일 영남대 독도세미나에서 밝혀진 내용에 의하면 18~19세기초 서양은 물론이고 일본에서 제작된 79종의 지도에도 독도가 한국령으로 표기되어 있었다는 것이다. 우리의 역사를 고스란히 담고 있는 우리나라 고지도, 고문헌 속에는 명명백백 독도는 대한민국 땅이라고 증명하고 있다.

1) 팔도총도

『신증동국여지승람(新增東國輿地勝覽)』 첫머리에 수록된 조선전도이다. 이 지도는 지리지에 수록된 부도로 판심(版心)에 〈동람도(東覽圖)〉라고 쓰여 있어서 일명 〈동람도〉라고도 불린다. 현존하는 인쇄본 단독 지도로는 가장 오래된 것이다. 우리나라 최초의 지도이면서, 조선 전기에 제작된 작자미상의 우리나라 전도인 팔도총도에는 우산도가 등장한다. 허나, 여기서 우산도는 울릉도와 우산도가 반대로 그려져 있다. 팔도총도 이전의 지도에서는 우산도와 울릉도가 반대로 그려져 있음을 알 수 있지만, 그 이후의 지도에서는 본래의 모습으로 그려진다.

〈팔도총도〉는 우리나라의 진산과 주요 하천, 도명, 주요 섬만 표시한 간략한 지도이며 바다에는 파도무늬가 그려져 있다. 이 지도는 조선 후기에 보급된 지도책에 널리 사용되었다.

일본전도로서 8세기부터 16세기까지 사용된 지도는 교기도(行基圖)이다. 그런데 교기도는 현재 일본의 모습과는 전혀 다르게 마치 일본열도가 괴물처럼 그려져 있다. 16세기의 교기도를 보면 북쪽과 남쪽에 실제로 존재하지 않는 가공의 대륙까지 그려져 있다. 이런 지도와 비교한다면 한국의 '팔

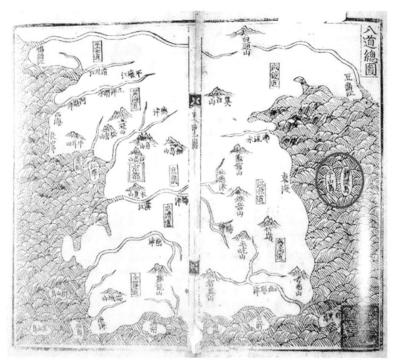

팔도총도_1530년_목판본_조선조관찬_이찬 소장_(27.0 x 34.2 cm)

도총도'에 약간의 문제가 있다 하더라도 일본의 교기도보다 훨씬 정확한 지도라는 것이 일목요연하다. 일본은 '팔도총도'를 논하기 전에 같은 시대의 일본 지도를 먼저 논해야 할 것이라고 생각이 된다.

우산도들은 모두 산봉우리를 그려놓음을 알 수 있다. 허나, 일본이 주장하는 울릉도 옆에 있는 죽도에는 산봉우리가 존재하지 않는 평지 섬이다. 존재하지 않는 산을 그려놓을 리는 없다.

2) 조선팔도고금총람도

역사적인 기록을 해당지역에 기록하여 우리나라의 고금을 같이 볼 수 있도록 한 지도이다.

지도의 작자 김수홍(1601~1681)은 병자호란 때 강화성에서 순절한 김상용의 손자이며 호조참판을 지냈고, 현종 7년(1666)에는 〈천하고금대총편람도〉(도판 12)를 목판으로 간행한 바 있다.

이 지도의 작성연대는 지도 좌측에 쓰여 있는 발문의 말미에 '계축맹하'라고 있으므로 현종 14년(1673)이 된다. 이 지도는 지도에 역사적인 기록을 첨가하여 역사적인 사실과 그 사실이 발생한 지역과를 결합시킴으로써 새로운 지도의 영역을 만들어냈다. 지도의 곳곳에는 여백을 이용하여 28숙의 별자리 이름인 미·기를 기입하고 있다.

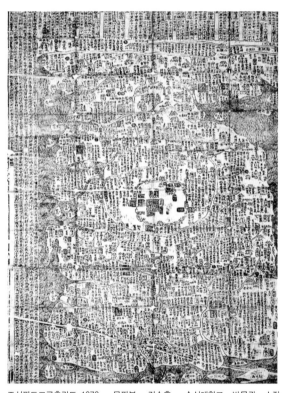

조선팔도고금총람도_1673_ 목판본, 김수홍_ 숭실대학교 박물관 소장 (137.5×107.0 cm)

3) 여지도(輿地圖)

2008년 보물 제1592호로 지정된 여지도는 채색 필사본 3책 33장으로 구성되었다. 전체적인 윤곽은 정상기의 〈동국지도〉를 따르고 있다. 이 지도는 무엇보다 화려한색채가 돋보이는데, 산줄기를 녹색으로 하천을 청색, 그리고 팔도의 군현을 색채를 다르게하여 구분하였다. 또한 해안의 섬들이 아주 자세하게 그려져 있는데. 지금의 독도가 울릉도 동쪽 동해에 우산도라는 명칭으로 표시되어 있고 대마도도 그려져 있다.

지도의 여백에는 국토의 좌향, 동서와 남북의 길이, 사방의 끝에서 서울까지의 거리, 각 도의 군현 수가 기재되어 있다.

한양도성도 및 조선군현지도, 조선전도, 그리고 천하도지도(天下都地圖)를 망라한 지도책이다. 정확한 제작 연대는 알 수 없으나 지도에 표기된 내용으로 보아 1789년에서 1795년 사이에 제작된 것으로 추정된다.

여지도_18세기 말 _ 채색필사본_ 규장각 소장_ 152.5x82.5cm

4) 천하대총일람지도 부분

조선 후기의 중국식 세계지도, 즉 중국· 조선· 일본 유구국 지도이다.

흔히 전래되는 중국식 천하도 또는 세계지도는 중국을 중심에 크게 그리고 그 주변에 간략하게 표시만 하는 정도로 외국을 그린 지도이다. 반면에 이 지도는 우리 나라에서 중국식 세계지도에 한반도와 유구를 추가하여 그린 것이다.

우리 나라와 유구국이 상대적으로 월등하게 크게 그려져 있는 것이 그것을 증명한다. 축척의 개념이 정확하지 않고, 또 실제로 자기가 사는 곳을 크게 생각하고 있기 때문에 우리 나라에서 만들어진 고지도에는 한반도를 실제보다 크게 그린 때가 많다.

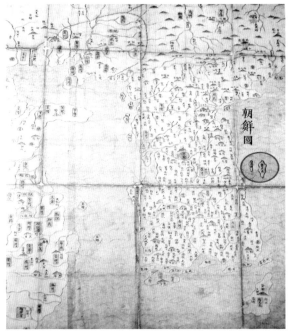

천하대총일람지도 부분 _18세기 초기, 채색사본 _국립중앙도서관 소장(128.5×155.0cm)

5) 동국대지도

정상익에 의해 18세기에 만들어진 이 지도는 울릉도와 독도의 위치와 크기가 비교적 정확하게 표시되어 있고 울릉도와 우산도(독도)가 본래 하나의 섬을 일컫는 말이라는 일본의 주장이 오류라는 것을 증명해 주는 자료이다.

동국대지도는 조선영조 때 정상기가 제작한 한국의 옛지도이다. 42만분의 1 축척과 축척과 방위가 매우 정확하여 김정호가 지도를 제작할 때 중요한 자료로 삼았을만큼 한국지도역사에 결정적 기여를 하였다.

1장의 전국도와 8장의 도별도로 구성되어 있다. 한국 지도로는 최초로 백리척을 이요하여 축척을 나타내고 지도상의 거리를 측정할 수 있게 하였으며 그러므로 한국의 윤곽이 정확히 드러나는 지도를 제작할 수 있게 되었다. 영조가 이 지도를 보고 감탄하여 베끼어 비치하게 했다는 지도이다.

동국대지도_ 18세기 중엽 _정상익 _ 147X272cm _ 보물 1538호

6) 아국총도

아국총도는 정도대에 제작된 지도첩인 여지도에 수록된 전국지도이다. 정상기의 지도를 따른 전체적인 윤곽이 보이고 화려한 색채가 돋보이는 지도로 산줄기를 녹색으로 하천을 청색, 팔도의 군현의 색체를 구분하였다. 오행사상에 따라서 군현의 명칭을 동쪽(강원도)은 푸른색, 서쪽(황해도)은 흰색, 남쪽(전라도, 경상도)은 붉은색, 북쪽(함경도)은 검은색, 중앙(경기, 충청)은 황색 등 5방위색으로 표현했다.

당시 도서지역에 대한 관심이 높아 바다의 작은 섬까지도 명확히 기록하고 있다. 바다는 동해, 서해, 남해로 표기하였고 울릉도 동쪽에 우산도가 표시되고 대마도까지 그려져 있다.

아국총도_ 채색사본_
18세기 말_ 152.5x82.0cm
_서울대학교 규장각 소장

7) 해좌전도

1800년대 중반경에 제작된 것으로 추정되는 대표적인 목판본 조선전도로 지도의 형태과 내용은 정상기(鄭尙驥)의 〈동국지도(東國地圖)〉와 비슷하며 산하, 호수, 교통로 등이 같은 방법으로 그려져 있다. 지도의 여백에는 백두산, 금강산, 설악산 등 10여 개에 이르는 유명한 산의 위치와 산수에 대한 간략한 설명과 섬, 정계비, 초량왜관(草梁倭館) 등에 대한 기록이 실려 있다. 그리고 고조선(古朝鮮), 한사군(漢四郡), 신라구주(新羅九州), 고려팔도(高麗八道)의 마을 수를 각각 왼쪽 윗부분의 여백에 기록하여 조선의 현재와 과거를 한눈에 볼 수 있게 한 지도로서, 목판 인쇄술에서도 뛰어난 솜씨를 보이고 있다. 독도, 녹둔도, 대마도 등이 조선영토로 표기되어 있으며 여백 설명 부분에 정계비, 초량왜관 등에 관한 기록 등 다양한 자료가 수록되어 있는 정밀한 목판본 〈해좌전도(海左全圖)〉로 일부 채색이 가미되어 있다. 접혔던 부분 뒷면 일부 보강 외 전반적 상태 양호한 편이다.

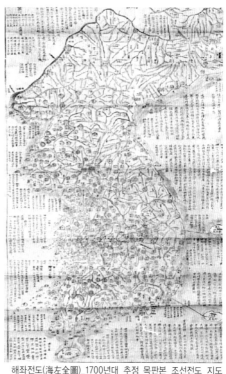

해좌전도(海左全圖)_1700년대 추정_목판본 조선전도 지도 _63×107.5cm_국립중앙박물관

8) 동국여지지도

해남윤씨가전고화첩에 있는 동국여지지도(海南尹氏家傳古畵帖-東國與地圖)는 조선 후기의 선비화가였던 공재 윤두서(1688~1715)가 숙종 36년 (1710)에 그린 조선의 지도이다. 윤두서는 시·글씨·그림에 능하였는데, 말과 인물화를 특히 잘 그렸다.

윤두서는 '중국여지도', '일본여도'도 그렸다고 전하나 현재는 '동국여지지도'와 '일본여도'만이 남아있다. 강줄기와 산맥의 표시를 대부분 정확하고 섬세하게 표현하였고, 주변도서를 자세히 그렸으며 섬과 육지의 연결수로까지 표시하였다.

김정호의 '대동여지도'보다 약 150년 정도 앞서 제작된 것으로 매우 섬세하고 사실적이다. 채색이 매우 아름다우며 윤두서의 실학자적인 면을 엿볼수 있는 귀중한 자료이다.

팔도전도(八道地圖-八道全圖)_18세기 전반_98.3x61.5_영남대학교 박물관

9) 신편표제찬도환영지 – 조선팔도총도

조선후기 영조(英祖) 46년(17 70)에 제작된 이 지도는 실학자 위백규(魏伯珪)의 역사지리서인 '환영지'의 조선8도 총도 상권(전체 84페이지)으로 울릉도와 일본사이 독도(우산도)가 울릉도보다 크고 가운데 그려져 사실상 독도(우산도)의 존재를 강조한 셈이다.

선문대 역사학과 이형구 교수에 의해 2008년 8월 4일 조선후기 실학자 위백규 선생이 1770년에 저술한 역사지리서 '환영지'의 '조선팔도 총도' 원본을 공개했다.

울릉도 위쪽 바다에 또 다른 우산도라는 섬이 보인다. 이는 조선시대 울릉도를 제외한 우산국의 해상영역권의 섬들을 우산도로 불렀다는 중요한 자료이다. 작자 미상의 전세보에는 '우산'이라고 분명히 표기해 놓았다.

전도(全圖)와 팔도분도(八道分圖)등 총 9장으로 구성된 지도첩 중 팔도전도이다. 육로와 수로의 교통로가 상세하가 표현되어 있으며, 팔도의 군현은 오방색으로 구분하였다. 5촌으로 구분된 백리척이 동해에 표기되어 있어 정상기의 동국지도 사본임을 알 수 있다. 특히 독도는 울진의 동쪽 바다 가운데 있는 울릉도의 동쪽에 우산으로 표현되어 있어 동람도 이후 위치가 바뀌어 표시되었던 울릉도와 독도가 제 위치에 그려져 있음을 알 수 있다.

목판본 『환영지』의 팔도총도

10) 여지고람도보

《여지도》와《여지고람도보》에 수록된 강원도 지도에서 확인할 수 있는 형태로, 우산도(독도)가 울릉도의 동쪽 또는 서쪽이 아닌 남쪽에 그려져 있는 형태이다. 이 형태의 경우 동쪽이나 서쪽에 그려지는 우산도의 모습은 대부분 세로로 긴 형태이지만, 남쪽에 그려져 있는 우산도의 모습은 동서로 긴 타원형의 모습으로 그려져 있다

17세기 말 안용복 사건 이후 조선후기 울릉도와 독도 인식에 대한 변화가 생기면서 독도의 위치와 크기 등도 지도에 반영되기 시작하였다. 따라서 우산도(독도)는 울릉도의 동쪽에 그려졌고, 그 크기도 이전에 울릉도와 비슷한 크기에서 울릉도보다 훨씬 작은 크기로 표현되었다

조선조 후기에 널리 보급되었던 목판본 지도첩이다. 벼슬아치들에게 필요한 기록이리고 하여 그 지역의 연혁 및 역사적 기록·민호·전결 등을 가득히 적어 지도와 지지(地誌)를 겸한 느낌을 준다.

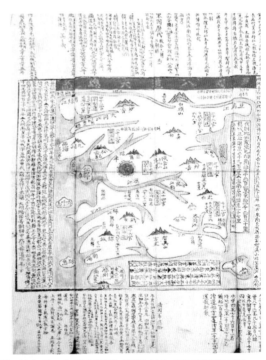

〈동국8도대총도(여지고람도보)〉_18세기 중엽 _목판본_45.0×37.0_국립중앙도서관

11) 대동여지도

한국학중앙연구원 장서각연구소에서 한국학 진흥사업의 일환으로 전국의 고문헌을 조사하던 중, 2010년 11월 서울 서대문구 한국연구원 자료실에

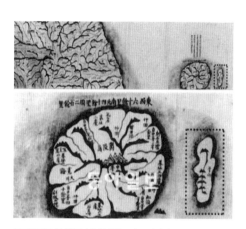

서 독도가 그려진 대동여지도 필사본을 발견했다. 이 필사본에는 울릉도 오른쪽에 '우산(于山)'이라고 적힌 섬이 그려져 있다. 국내외에 전해오는 대동여지도의 목판본과 필사본은 총 25점. 독도가 그려진 대동여지도는 일본 국회도서관에 소장돼 있는 목판본 한 부가 있을 뿐 지금까지 국내에서 발견된 것은 없었다. 목판본은 1861

독도 옛이름 '우산(于山)' 선명 독도가 그려진 대동여지도 필사본의 울릉도 독도 부분. 점선 부분이 독도. 독도의 옛 이름인 우산이 선명하게 적혀 있다. 한국학중앙연구원 장서각 제공

년 김정호가 직접 목판에 지도를 새겨 찍은 것이고 필사본은 원본인 목판본에 한지를 얹어 베끼는 방식으로 제작했다. 독도가 그려진 대동여지도 필사본은 19세기 독도를 바라보는 우리의 시각을 이해하는 데 중요한 자료이다. 일본이 '한국의 대표 지도인 대동여지도에 독도가 거의 나오지 않는다'면서 독도의 영유권을 주장해왔다. 이 지도의 발견으로 그 같은 주장이 근거 없는 것임을 확인하게 되었다. 지도의 울릉도 위에는 '영종 11년 강원감사 조최수가 울릉도를 시찰했고 우산도가 울릉도 동쪽에 있다'고 적혀 있다. 대한제국이 성립된 1897년까지 영조를 영종이라고 불렀으므로 이 필사본은 대동여지도가 처음 제작된 1861년부터 1897년 사이에 필사된 것이라 해석한다.

12) 이사부 토성

독도를 둘러싼 한·일간 분쟁이 극에 달한 가운데 강원 강릉지역에서 신라 이사부(異斯夫) 장군 시대에 축성된 토성(土城)이 발견되었다.

고고학적 중요성 외에 역사적으로 1500년 전부터 독도가 명백한 대한민국 고유의 영토임을 입증할 수 있는 중요한 자료라는데 큰 의미가 있는 것이다.

고구려와 국경을 접한 신라는 고구려가 동해 상의 우산국이나 왜(倭)와 연대해 신라의 배후를 치지 않을까 하는 걱정에 접경지역인 하슬라(옛 강릉)주를 설치하

고 이곳에 강력한 권한을 가진 이사부 장군을 군주로 파견하여 512년 이사부 장군이 우산국을 공격해 복속하고 동해안과 동해바다의 권력을 장악했다.

2012년 8월 26일 국강고고학연구소에 따르면 동해바다와 경포호 사이에 있는 원형에 가까운 이 토성은 6세기 초 축성된 것으로 추정되고 있으며 지금까지 발견된 신라 시대 토성 가운데 최대급으로 폭 190m, 길이 380m, 둘레가 1㎞에 이른다.

강릉시 강문동 H 호텔 신축부지에서 발견된 토성이 이사부 장군이 '나무사자(木偶獅子)'를 싣고 가 우산국을 공격해 복속한 시기인 6세기 초에 축

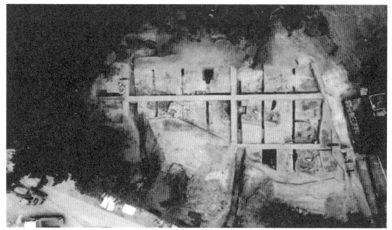

강릉서 1500년 전 축성된 토성 이사부 '독도 복속' 군사거점·출항지 발견

성된 것으로 밝혀져 이곳에서 이사부의 함대가 출항한 곳임을 추정할 수 있
는 중요한 자료로 평가받고 있다.

　현장을 찾았던 많은 학자들은 이미 1천500년 전부터 독도가 우리 땅임을
명백히 입증할 수 있는 귀중한 증거라고 말한다.

　토성을 쌓아 군사적 거점을 만들고 파도가 없는 경포호수와 강문항에서
주변의 울창한 산림서 나오는 나무로 배와 나무 사자를 만드는 등 우산국
정벌을 위한 준비과정을 거친 뒤 3년 만인 512년 출항한 문헌의 기록을 입
증하는 무엇보다 중요한 자료라는 것이다.

　전문가에 의하면 이 토성은 신라의 이사부 장군이 우산국을 포함한 동
해로 진출하는 군사적 거점이 됐을 것으로 볼 수 있는 중요한 자료이며, 이
사부 장군의 우산국 복속에 관련한 고고학 자료가 매우 부족하기 때문에
이 토성은 역사적 자료에 고고학 자료가 매칭돼 의미가 더욱 크다고 한다.

3. 일본사료 속 한국의 독도

일본의 고문헌과 지도 속에는 독도가 한국령으로 표기되어 있는 내용이 대다수다. 18~19세기초 서양은 물론이고 일본에서 제작된 모든 지도에도 독도가 한국령으로 표기되어 있었다.

국제문화대학원대학 이상태 교수는 "1809년 일본 막부의 명에 의해 그려진 타카하시 카게야수의 〈일본변계약도〉, 1748년에 만들어진 〈조선경도 일본대판서국 해변항로지도〉 등 일본에서 간행된 79종의 지도에서 울릉도와 독도를 한국의 영토로 인정하고 한국령으로 표기한 것은 일본도 독도를 한국령으로 인정하고 있었음을 보여주는 명백한 증거"라고 했다.

일본의 양심가 시마네대학 나이토 세이츄 명예교수에 의하면 "독도가 일본의 것이라는 요건을 만족시키려면 일본 정부가 펴낸 관찬지도에서 일본의 것으로 기재되어 있어야 하는데 오히려 독도가 울릉도의 부속섬이거나, 일본영토가 아니라는 자료만 있다. 일본은 나가쿠보 세키스이가 제작한 일부 사찬지도를 증거로 제시하고 있지만 개인이 만든 사찬지도는 국제법상 증거로 인정받을 수 없다. 더군다나 나가쿠보 세키스의 지도는 울릉도와 독도를 함께 일본땅으로 표시하며 분명한 오류를 범하고 있는 지도라서 증거자료로서 가치를 잃어버린다. 왜냐면 울릉도는 한번도 일본땅 된 적이 없고 독도만을 일본땅으로 표시한 지도는 한 점도 없다. 일본 정부는 자국 국민들이 울릉도, 독도로 도항하는 것을 금지시키고 이를 위반한 사람을 처벌했으며 메이지 내각 태정관은 울릉도와 독도가 일본의 영토가 아니라는 지령을 내렸다. 에도막부나, 일본 메이지 정부가 펴낸 공식 관찬지도들 중 독도를 일본의 영토로 그린 지도는 없다"고 명쾌히 인정하고 있는 것이다.

1) 교키가 만든 일본 최초 전국지도

독도를 신라땅으로 표기한 일본 고대지도를 공개한 부산외대 김문길 교수(한일관계사 전공)에 의하면 일본도는 7세기 일본 승려 교키가 열도를 돌며 포교하면서 만든 일본 최초의 지도이다. 당시 조선이나 중국에서조차 없었던 시대의 최고로 오래된 지도였다.

교키는 일본으로 귀화한 백제인 2세이며 일본 고대불교의 대승려로서 일본 고대국가 형성에도 기여한 인물이다. 교키의 일본도에는 현재의 울릉도와 독도를 기러기들이 쉬었다가 가는 곳이라는 의미로 〈안도(雁道)〉로 표기했고 안도는 사람이 살지 않는 곳으로 신라땅이라는 해설도 기록돼 있다.

교키가 만든 일본 최초의 전국지도인 교키즈(行基圖=일본도)는 지금 동경(東京) 가나자와 문고(金澤文庫)에 소장되어 있고, 일본에서도 아주 유명한 교토(京都) 니와지(仁和寺) 사찰에도 보관되어 있다.

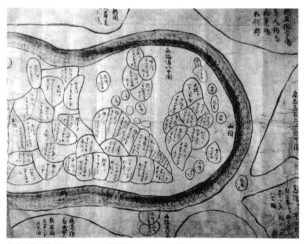

7세기 독도를 신라땅으로 표기한 일본 고대지도. 일본 승려 교키가 일본 열도를 돌며 만든 이 지도의 좌측 하단에는 울릉도와 독도를 안도(雁道)로 표기했고 안도는 사람이 살지 않는 곳으로 신라땅이라는 해설이 기록돼 있다

2) 조선국지리도 -팔도총도

임진왜란 당시 도요토미 히데요시의 명령으로 구끼등이 제작한 지도이다. 팔도총도와 강원도 별도에 울릉도와 우산도(于山島-독도)를 표기했다.

발견된 일본지도 중 울릉도와 독도를 우리식 명칭으로 표기한 최초의 지도이며, 대마도를 우리의 영토로 표시한 최초의 지도이기도 하다.

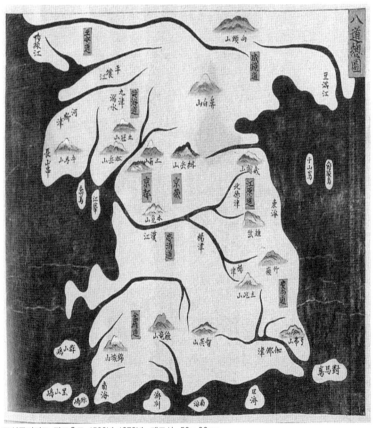

조선국지리도_팔도총도_1592년. 1872년 _재모사_ 50 x 36cm

3) 후소(扶桑)국 지도

7세기 때 일본 승려 교키(行基=행기:왕인박사 후손으로 추정)가 각 지역에 불교를 포교하면서 일본 열도를 돌며 만든 일본 최초의 전국지도가 일본도(日本圖)이다. 교키(行基)가 만들었다 해서 우리나라에서는 행기도(行基圖)라 하고, 일본에서는 교키즈(行基圖=일본도)라고 한다. 즉, 기러기들이 쉬었다가 가는 곳이라는 의미로 울릉도와 독도를 안도(雁道)로 표기했고, 안도는 사람이 살지 않는 곳으로 신라 땅이며, 신라에는 566국이 있다는 해설도 기록돼 있다.

이 지도는 당시 조선이나 중국에서조차 없었던 시대의 최고로 오래된 지도였다. 교키가 만든 일본 최초의 전국지도인 교키즈(行基圖=일본도)는 지금 동경(東京) 가나자와 문고(金澤文庫)에 소장되어있고, 일본에서도 아주 유명한 교토(京都) 니와지(仁和寺) 사찰에도 보관되어 있다.

그 후 1천여 년이 지난 뒤, 교키(行基)가 만든 교키즈(行基圖=일본도)

를 참고해 1662년 9월에 후소국지도(扶桑國之圖)를 만들었는데, 거기에도 독도를 '안도'라 표기했다.

7세기 독도를 신라땅으로 표기한 일본 고대지도를 토대로 1662년 일본 교토에서 서양의 측지법을 적용해 다시 제작된 지도. 상단에 울릉도와 독도가 안도(雁道)로 표기돼 있다 (교토대박물관 소장)

4) 은주시청합기

「은주시청합기」는 운주(雲州)의 관원인 사이토 호센(齊藤豊仙)이 마쯔에번주(松江藩主)의 명으로 1667년 8월 부터 약 2개월 동안 은주(隱州)를 순시하면서 직접 보고 들은 것을 기록하여 상부에 보고한 지방관찬서이다.

은주란 현재의 오키섬을 말하고 당시에는 오키국(隱州国)을 말한다. (당시 일본에서 국(国1)은 주(州)와 같은 개념이다.) 운주란 이즈모국을 말하며 현재 시마네현의 일부인 이즈모시를 말한다. 독도가 기록된 일본 최초의 문헌으로 지방관찬서이지만, 일본의 공식문서로 편찬되었다.

"은주시청합기"는 일본의 서북 한계를 오키섬으로 하고 있어 독도가 일본 외의 영토라는 것을 증명하는 자료로 알려져있다.

「은주시청합기」의 '국대기(国代記)'에 타케시마(울릉도)와 마츠시마(독도)를 다음과 같이 기록하고 있다.

隱州 在北海中 故云 隱岐島 (중략) 戌亥間行二日一夜有松嶋 又一日程有竹嶋'(俗言 磯竹島 多竹魚海鹿)此二嶋 無人之地 見高麗如 雲州 望隱州 然則 日本乾地 以 此州 爲限矣

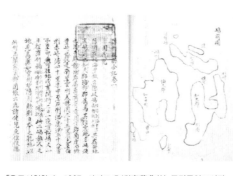

「은주시청합기」, 1667_ 사이토 호센(齊藤豊仙)_국립중앙도서관

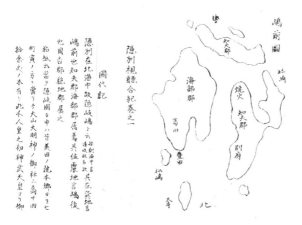

오키섬을 구성하는 4개의 큰 섬(嶋前圖,嶋後圖)과 주위의 5개의 작은 섬

은주는 북해 (=일본해/동해) 가운데 있고 오키섬이라고 한다. (중략) 술해 사이 (북서 방향)를 두 낮 한 밤을 가면 마쓰시마 (松島, 독도)가 있다. 또한 낮거리에 다케시마(竹島, 울릉도)가 있다. (중략) 이 두 섬에는 사람이 살지 않는데, 고려(=조선)를 보는 것이 마치 운주(=이즈모)에서 은주를 보는 것과 같다. 그러므로 일본의 건지(乾地 :북서쪽 경계) 는 이 주(此州)를 끝으로 삼는다.

「은주시청합기」쪽에는 오키섬을 구성하는 4개의 큰 섬(嶋前圖,嶋後圖)과 주위의 5개의 작은 섬들을 그린 그림이 포함되어 있는데, 울릉도와 독도가 오키섬에 속하는 섬이라면 당연히 이 그림속에 포함되어야만 한다.

일본의 주장대로 「은주시청합기」에서 독도가 일본의 서북경계로 봤다면, 「은주시청합기」가 발행된 1667년 이전과 이후에 제작된 일본의 공식지도에 독도가 일본영토로 포함되어 있어야 한다. 그러나 독도가 일본땅으로 표시된 일본의 공식고지도는 없다.

5) 삼국접양지도

일본인 실학자 임자평이 쓴 『삼국도현도설』의 부속지도의 한 부분. 이 지도는 조선은 황색, 일본은 녹색 등 나라별로 색깔을 다르게 영토를 구분했는데, 울릉도와 독도는 황색으로 칠했을 뿐 아니라 '조선의 것으로'라고 기록하여 독도와 울릉도 모두 조선영토임을 명백히 나타내고 있다. 이때만 해도 동해명칭은 '조선해'로 인식되던 시기로 울릉도와 독도와 더불어 주변 해역 조선영토로 명확히 했다. 여기서 죽도(竹島 다케시마)는 울릉도다. 일본은 1905년 이전부터는 울릉도를 죽도(竹島)라 표기하였기 때문이다. 그렇다면 울릉도의 동쪽에 있는 섬은 누가봐도 바로 독도이다.

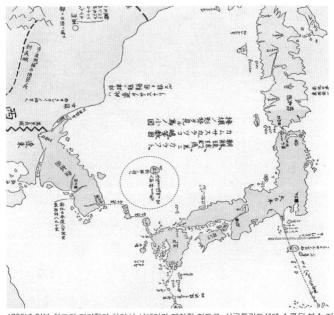

1785년 일본 최고의 지리학자 하야시 시헤이가 제작한 지도로, 삼국통람도설에 수록된 부속 지도 5장 중 하나이다. 이 지도는 일본을 중심으로 주변 3국을 각기 색채를 달리하여 그렸는데, 동해상의 모든 섬들이 조선과 같은 색으로 채색되어 있어, 독도의 영유권을 밝히는 중요 자료이다.

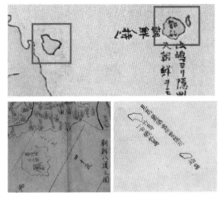

삼국접양지도에 그려져있는
세개의 섬

호사카 유지 교수는
〈개정일본여지노정전도〉와〈조선팔도
지도〉를 기본으로 하여
그렸기 때문이라고 보고 있다

〈삼국접양지도〉에는 한반도와 일본의 오키섬 사이에 세 개의 섬이 그려져 있고, 모두 조선과 동일한 색상이 칠해져 있다. 이 세 섬은 조선의 영토로 표시되어 있다. 죽도(竹島, 다케시마, 당시의 울릉도)에 "조선의 소유(朝鮮ノ持也)"라고 적혀 있고 그 옆에는 작은 섬이 그려져 있지만 섬의 이름이 없다.

호사카 유지 교수에 의하면 하야시는 삼국통람도설 제작시 조선팔도지도(朝鮮八道之圖)와 나가쿠보 세키스이의 〈개정일본여지노정전도〉를 참조했다고 한다. 즉, 〈조선팔도지도〉에 그려진 울릉도를 한반도 가까이에 그려넣고, 〈개정일본여지노정전도〉에 그려진 다케시마(竹島, 당시의 울릉도)와 마쓰시마(松島, 당시의 독도)도 그린 결과 이 지도상의 한반도와 일본의 오키섬 사이에 3개의 섬이 그려지게 된 것이다.

다케시마(竹島) 즉, 울릉도 옆에는 "朝鮮ノ持也(조선의 소유)"이라고 적혀 있고, 〈은주시청합기〉에서 유래된 구절 "此嶋ヨリ隱州ヲ望 又朝鮮ヲモ見ル"(이 섬에서 은주(오키섬)를 바라보고 또 조선도 본다)가 적혀 있다.

〈은주시청합기〉의 저자 사이토 호센, 나카쿠보 세키스이 그리고 하야시 시헤이 모두 다케시마와 마쓰시마 즉 울릉도와 독도를 한국땅으로 인식하고 있었음을 알 수 있다.

6) 개정 일본여지노정전도(改正 日本輿地路程全圖)

울릉도·독도, 일본 영토와 확실히 구분한 개정일본여지노정전도는 목판 채색으로 제작되었고, 지도의 크기는 가로 134cm, 세로 83.5cm이다. 지도의 방위는 북북동으로 20도가량 틀어져 있고, 지도의 범위는 에조(蝦夷, 현재의 홋카이도)와 오가사와라 제도(小笠原諸島)·오키나와 등지를 제외한 당시 일본의 전 국토를 나타내었다. 지도 하단에 적힌 범례에 따르면 10리를 1촌(寸)으로 한 축척을 사용해 현대의 축척으로는 약 130만분의 1이 된다.

고지도 연구가 최선웅씨에 의하면, 이 지도의 가장 큰 특징은 당시 일본 전국지도에 없었던 경위선을 그려 넣은 점이라는 것이다.

세키스이는 천문역학자인 시부카와 하루미(澁川春海)의 측정치를 이용해 위도 1도 간격의 위선을 31도에서부터 41도까지 그리고, 경선은 측정치

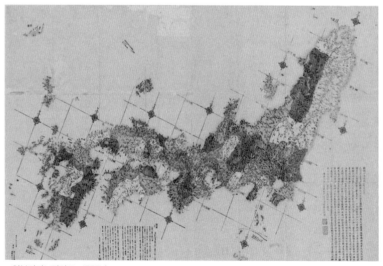

일본여지노정전도_ 1775년

가 없어 위선에 직각으로 그린 방격선(方格線)이다. 일본 해안선을 따라 그려진 12개의 방위반은 일본에 전해졌던 서양의 포르톨라노 해도(Porto-lano Chart)를 보고 그려 넣은 것이다.

또 하나의 특징은 좌측 상단에 조선의 남동쪽 해안을 그리고, 그 동쪽 바다에는 울릉도와 독도를 남북으로 나란히 그려 넣었다. 이 울릉도·독도가 현재 한일 간의 영유권 문제로 이슈가 되고 있다. 일본 본토는 행정구역별로 채색되어 있고, 경위선이 그려져 있는 반면 울릉도·독도는 조선의 남동쪽 해안과 같이 채색이 없고 경위선 밖에 그려져 일본 영토와 확실히 구분되고 있다.

울릉도는 일본식 명칭으로 '다케시마(竹島)'로 표기되고, 그 옆에 '일명 이소다케시마(一云磯竹島)'를 부기했다. 독도는 '마쓰시마(松島)'라고 표기되었지만, 두 섬 옆에는 '견고려유운주망은주(見高麗猶雲州望隠州)'라는 문구가 적혀 있다. 이 문구는 1667년 운슈(雲州) 지역 마쓰에(松江)의 번사(藩士)인 사이토 호센(齋藤豊仙)이 번주(藩主)의 명으로 약 2개월간 일본의 외딴섬 인슈(隠州, 오키섬)를 돌아본 뒤 민간에서 보고 들은 내용을 기록한 〈은주시청합기(隠州視聽合記)〉 권1 국대기(國大記)에 나오는 내용을 인용한 것이다.

'고려유운주망은주'의 해석에 따라 울릉도·독도의 영유권이 한·일 간 어느 쪽에 속할지 달라진다. 일본 쪽은 세키스이가 〈은주시청합기〉를 인용해 울릉도 옆에 주기한 것은 울릉도를 일본령으로 인식했기 때문이라는 해석을 내놓고 있지만, 한국 쪽에서는 '(독도에서) 고려(울릉도)를 보는 것은 운슈에서 인슈를 바라보는 것과 같다'고 해석해 울릉도·독도가 조선의 영토라고 주장하고 있다.

이같은 양측의 주장은 개정일본여지노정전도의 해적판으로 결정이 난다.

개정일본여지노정전도는 1779년 초판을 시작으로 1791년 재판, 1811년 3판, 1833년 4판, 1840년 5판, 이후 1844년, 1846년, 1862년, 1871년까지 9판이 간행되었다. 이 가운데 1840년 5판까지는 지도의 내용이 초판과 동일하나, 1844년 판부터는 민간에서 발행된 해적판으로 울릉도·독도에 일본 본토와 같은 색을 칠하고, 경위선까지 연장해 일본의 영토로 보이게 한 것이다. 세키스이는 개정일본여지노정전도뿐 아니라 1785년 청나라의 역사지도인 경천합지대청광여도(經天合地大淸廣輿圖)를 비롯해 세계지도인 개정지구만국전도(改正地球萬國全圖), 1789년 중국 역사지도인 당토역대주군연혁지도(唐土歷代州郡沿革地圖)와 일본 역사부도의 원형이 된 고금역대연혁지도(古今歷代沿革地圖) 등을 제작해 일본 근세사에 불멸의 발자취를 남긴 지리학자로 추앙받고 있다. 세키스이가 심혈을 기울여 제작한 개정일본여지노정전도도 일본 최초의 경위선식 지도로서 높이 평가되고 있으나, 조선의 일부와 울릉도·독도를 그려 넣고 일본 본토와 달리 채색을 하지 않고 경위선 밖으로 밀어낸 점은 일본의 독도 영유권 주장이 허구라는 결정적 단서가 되고 말았다.

일본 전국지도의 제작 역사는 시대별로 극명하게 구분된다. 그 첫 번째가 백제에서 건너간 왕인(王仁) 박사의 후예인 행기(行基) 스님이 745년경 제작한 행기도(行基圖)이고, 1687년 이시카와 토모노부(石川流宣)의 본조도감강목(本朝圖鑑綱目)이 나올 때까지 1000년 가까이 일본 전국지도의 원형이 되었다.

이후 본조도감강목은 '류센도(流宣圖)'라는 이름으로 18세기 후반까지 1세기에 걸쳐 중판되었고, 류센도는 18세기 후반 나가쿠보 세키스이의 경위선식 일본전도가 나오면서 자취를 감추었다. '세키스이 지도'는 측량지도가 등장할 때까지 다시 1세기에 걸쳐 판을 거듭했다.

7) 이미즈야 하치에몬의 사건

선주 하치에몬은 에도막부에게 울릉도와 독도를 가게 해준다면 막대한 국익 될 것이라고 제안을 하였지만 에도막부는 울릉도와 독도가 조선의 영토이기 때문에 제안을 거절하였다. 그러나 하치에몬은 정부의 허락 없이 무단으로 울릉도로 도해하여 체포가 되었는데 하치에몬이 처형 받기 전 하치에몬이 직접 작성하고 진술한 기록에서는 울릉도와 독도는 조선의 영토로 빨강색을 입혀 표시하였다.

하치에몬의 사건으로 에도 막부는 도해금지 경고판을 설치하고 도해금지를 다시 하였다. 도해금지 경고판을 보면 울릉도를 비롯한 오른 쪽 섬도 도해금지를 하고 있는데 이것을 하치에몬이 진술중 작성한 기록을 보면 오른 쪽 섬은 독도임을 알 수 있다.

동경대학 부속 도서관 소장의 「죽도도해일건 전(竹島渡海一件　全)」에 4

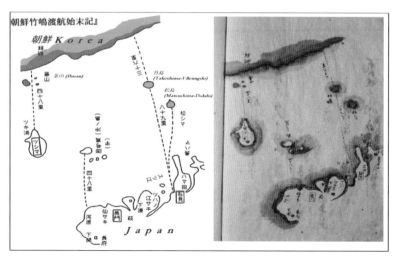

하치에몬이 처형 받기 전 하치에몬이 직접 작성하고 진술한 기록에서는 울릉도와 독도는
조선의 영토로 빨강색을 입혀 표시하였다.

기록된 하치에몬의 진술은 대략 이렇다.

"1833년 6월 15일, 죽도(지금의 울릉도)에 출항하였으나, 날씨가 나빠 일단 장주 삼도로 일단 간다. 날씨가 좋아지자 다시 출항, 은기국 복포, 송도(독도)를 거쳐 7월 21일에 죽도(지금의 울릉도)에 도착. 독도를 거쳐가는 도중 나무도 없고 경제적 이득이 없는 별볼일 없는 섬이라 상륙할 필요도 없이 통과한다. 죽도(지금의 울릉도)에서 수목을 벌채하여 실어 1833년 8월 9일에 출항하였으나, 기후가 나빠 화물의 대부분을 잃었고 8월 15일에 하마다(浜田)에 귀항. 교본삼병위에 보고하고, 울릉도 항해허가를 얻을 수 있도록 강전뢰모, 송정도서에 연락을 의뢰하고 답변 기다렸다."

1836년 여름 사츠마번(薩摩藩)의 밀무역을 내사하기 위해 산음지역의 길을 지나던 마미야 린조(間宮林蔵)가 이 사실을 알게 되어 오사카 니시마치(西町)의 봉행(奉行)인 야베 사다노리(矢部駿河守定謙)의 탐색으로 적발되어 하시모토(橋本三兵衛)와 함께 체포된다. 같은 해 12월 사형을 언도받는다. 아이츠야 하치에몬의 밀항 사건은 어느 사건보다 독도가 일본의 땅이 아니고 한국 땅임을 증명해주는 역사적 사실이다.

하치에몬이 처형 당하고 다시 울릉도를 도해하는 일본인이 없도록 하기 위해 에도막부의 명령에 따라 곳곳에 설치한 목판 중 일부. 울릉도 뿐만 아니라, 오른쪽 섬까지 도해금지 하고 있어 독도를 포함한 도해 금지라는 것을 알 수 있다.

8) 일청한군용정도(日淸韓軍用精圖)

일청한군용정도(日淸韓軍用精圖·1895년·107×77cm·호야지리박물관 소장)에는 국계(국경선)가 범례에 명기되고 당시 각국의 국경선을 범례에 따라 명확하게 그렸다. 특히 동해상에 조선과 일본의 국계를 분명하게 표시하고 당연히 독도(지도상 송도·松島)는 조선 국경선 안에 표시해 조선 영토임을 분명히 하고 있다.

양재룡 호야지리박물관장에 의하면 이 지도는 '시마네(島根) 현 고시'보다 10년 전에 독도가 한국 영토였다는 사실을 입증해 '다케시마 영유권'주장은 근원적으로 날조된 허구임을 폭로하고 있으므로 이 지도를 한국인은 물론이고 세계인들에게 객관적이고 실증적인 증거로 보여줘 일본의 독도 침탈을 원천적으로 막아야 한다'고 했다.

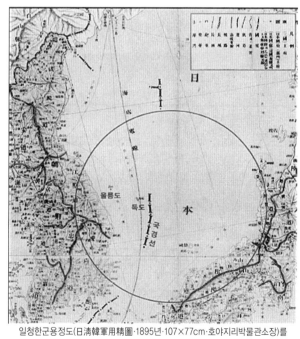

일청한군용정도(日淸韓軍用精圖·1895년·107×77cm·호야지리박물관소장)를 독도주변을 확대

9) 대일본제국全圖

독도를 한국 땅으로 명시하고, 일본 땅이 아님을 시인한 일본 농상무성(農商務省)의 1897년 '대일본제국전도'이다. 독도를 한국 땅으로 일본 정부가 이를 시인하는 내용을 담았으며 가장 최근에 발견된 지도이다.

직접 이 지도를 공개한 호사카 유지 세종대 독도종합연구소장에 의하면 '대일본제국全圖'는 독도는 자신들이 주장했던 죽도(竹島)가 아니라 러시아식 명칭인 올리부차(독도 서도)와 메넬라이(독도 동도)로 표기하는 반면 당시 시모노세키조약에 의해 일본 식민지가 됐던 대만은 자신들의 영토로 표시했다고 한다.

일본이 독도를 1905년 강제 편입할 때 내·외무성과 농상무성이 주도적 역할을 했다며 당시 농상무성이 독도가 어업적 측면에서 중요하다고 주장한 것이 받아들여졌기 때문이라고 한다.

지금까지 일본 정부의 공식 지도에는 독도가 빠져 있었기 때문에 일본 측이 독도를 자국 영토라고 주장할 일말의 여지가 있었지만 이번 지도 발견으로 아베 정부의 '고유 영토' 주장은 명백한 허위임이 밝혀졌다.

일본 농상무성이 1897년 제작한 '대일본제국전도'에는 울릉도와 독도를 자신들의 영토가 아닌 '조선'의 영토로 표시했다

10) 일본 해군성 수로국의 조선동해안도

〈조선동해안도〉(1876년)는 영국의 측량지도를 개정하고, 1853년과 1854년의 러시아 선박 측량을 기초로 하여 1857년에 러시아가 다시 실측한 지도를 일본해군성 수로국이 번안 편집해서 1876년에 발행한 지도이다.

1854(철종 5) 4월 6일(러시아 구력) 푸쟈친 제독이 지휘하는 러시아 극동원정대 4척 중 하나인 올리부차호가 마닐라에서 타타르 해협으로 향하던 중 독도를 발견, 조선의 영토로 파악되었다. 독도에 관한 올리부차호의 탐사내용은 바스토크호의 울릉도 관측내용 및 팔라다호의 조선 동해안 측량내용과 함께 러시아 해군지 1855년 1월 호에 실려 1857년 러시아 해군이 작성한 〈조선동해안도〉의 기초자료가 되었다.

올리부차호 항해일지(1854), 러시아 해군지(1855), 일본 해군성 수로국의 〈조선동해안도(朝鮮東海岸圖)〉(1876)에 나오게 되었다. 이 지도에는 독도를 정북방향 3.5마일, 북서 10도 방향 5마일, 북서61도 14마일거리에서 그린 독도의 각각의 모습을 표기하였다. 조선동해안도에 독도를 상세히 나타냄으로서 독도를 한국영토로 인지하고 있었음을 보여주고 있다.

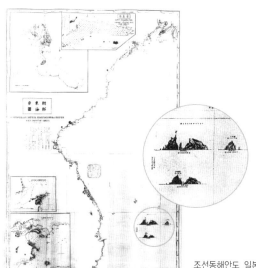

조선동해안도_일본해군수로국_1876

11) 조선국교제시말내탐서(朝鮮國交際始末内探書)

1868년 11월 메이지 정부의 최고 통치기관이었던 태정관(太政官)은 외무성에 조선의 사정을 조사하게 하였다. 이때는 일본이 조선과의 국교 교섭을 시작하고 정한론(征韓論)이 확산하는 시기여서 조선에 대한 내탐은 반드시 필요했다.

태정관이 내탐을 하기 10개월 전인 1월 14일 메이지 정부는 조선에 국교 교섭을 위한 서계를 보냈으나 조선 정부는 격식에 맞지 않는 표현이 있다며 거부했다. 조선이 서계를 거부하자 일본 내에서는 날조된 '삼한정벌'과 함께 조선을 정벌하자는 '정한'이 급속히 확산하였다. 정한론자인 요시다 쇼인(吉田松陰)의 제자이자 메이지 유신 삼 걸의 한 명인 기도 다카요시(木戸孝允)는 12월 14일자 일기에 '사절을 조선에 파견하여 그 무례를 묻고 불복할 때는 죄를 따지고 공격하여 그 땅에서 일본의 권위가 신장하기를 바라는 것'이라고 적었는데 '정한'의 실체가 무엇인지 그대로 보여주고 있다.

1869년 12월 도쿄에서 출발한 사다 일행은 나가사키와 대마도를 거쳐 2월 22일에 부산에 도착해서, 초량의 왜관에 머물며 정탐을 하고 3월에 귀국하였다. 외무성은 사다 등이 조선을 정탐한 결과를 보고했는데 이 보고서가 「조선국 교제시말 내탐서(朝鮮國交際始末内探書)」이다.

「조선국 교제시말 내탐서」는 사다 하쿠모, 모리야마 시게루, 사이토 사카에가 연명하였고, 모두 13개 항으로 작성되었다. 독도는 마지막 항목인 〈울릉도와 독도가 조선의 부속으로 된 시말〉에 수록되어 있다.

이때는 오늘날과 달리 울릉도를 죽도(竹島,다케시마), 독도를 송도(松島. 마츠시마)로 불렀다.

울릉도와 독도가 조선의 부속으로 된 시말

"독도는 울릉도와 이웃한 섬으로 독도에 대해서는 이제까지 남아 있는 서류가 없다. 울릉도 건에 대해서는 겐로쿠(1688~1704년, 도쿠가와 쓰나요시가 집권했던 시기) 연간 이후 잠시 조선에서 거류를 위해 사람을 보낸 바 있다. 당시에는 이전과 같이 사람이 없었다. 대나무 또는 대나무보다 큰 갈대가 자라고, 인삼 등이 자연적으로 자란다. 그밖에 해산물도 상당하다고 들었다."

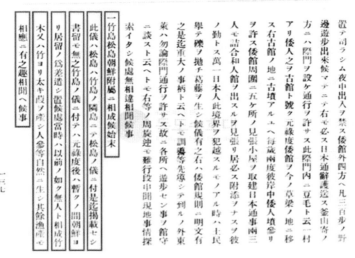

「조선국 교제시말 내탐서」가운데 울릉도와 독도부분_외무성 조사부, 1938.9 _
『대일본제국외교문서』 제2권 제3책, pp131~138

메이지 정부의 최고 통치기관인 태정관의 지령으로 외무성이 작성한 「조선국 교제시말 내탐서」에도 울릉도와 독도를 조선의 영토로 명백히 인정하고 있다.

12) 일본변계약도(1809년)

일본 국회도서관에는 한국관련 고지도가 약 4,000 종 소장되어 있다.

일본은 운요오호 사건을 일으킨 1875년과 1882년 임오군란, 1894년 동학혁명, 그리고 러일 전쟁기간인 1903부터 1906년 사이, 매년 6종에서 31종까지 집중적으로 한국 지도를 만들었다. 특히 1894년 청일전쟁 이후에는 한국 단독지도보다 한국·일본·청나라 3국을 한 장의 지도에 그린 고지도가 많다. 이는 일본이 한반도 강점과 대륙 진출을 위한 욕망이 얼마나 컸던가를 말해주는 것이다. 따라서 동해명칭은 청일전쟁이 일어나기 전까지 거의 모두가 '조선해'로 표기되었으나, 청일전쟁을 거치면서 일제가 한반도에서 영향력이 커지면서 '일본해'로 바꿔 나갔다.

일례로 〈지구만국방도(地球萬國方圖)〉는 일본의 저명한 지도 제작자인 무라카미(湯津香木金)가 만들 것으로, 1852년판과 1871년판이 현존하는데, 이 두 지도는 동해를 '조선해'로 표기하고 일본열도 우측바다를 '대일본해(大日本海)'로 표기하였다. 후일 일본은 대일본해로 표기된 해역을 '태평양'으로 명명되면서 슬며시 조선해로 옮겨와 '일본서해'로 조선해와 병기하는 과정을 거치다가 이 시기를 기점으로 완전히 '일본해'로 강점해 간다.

1882년에 제작된 다계다의 〈대일본조선팔도지나삼국전도(大日本朝鮮八道支那三國全圖)〉는 이 과정을 설명해 주는 지도라 볼 수 있다.

일본이 청일전쟁에서 승리하여 조선에서 영향력을 확보하기 전인 1894년 이전에 편찬된 지도는 거의 모두가 동해바다 명칭을 '조선해'로 표기했다. 특히 1883년에 체결된 한일통상장정(朝日通商章程) 조약문 41조에는 일본

다카하시(高橋景保)가 일왕의 명령으로 1809년에 제작한 일본변계약도(日本邊界略圖).'朝鮮海'가 선명하게 표기되어 있다. 우산도는 지리지식이 없었던 당시 울릉도의 옛이름을 독도에 붙인 것으로 보인다.
(94×23.5)

연안 항구 도시를 표기하면서 「'조선해'에 접한 곳(對朝鮮海面處)」이라고 했다. 이는 당시 양국의 조약문에서도 '조선해'를 공식적인 바다 이름으로 인식하고 있었음을 알려주는 것이다.

  일본에서 제작된 지도중에서 동해를 '조선해'로 표기한 대표적인 지도가 무라카미(湯津香木金)가 〈지구만국방도(地球萬國方圖)〉와 다께다가 제작한 〈대일본조선팔도지나삼국전도(大日本朝鮮八道支那三國全圖)〉이다.

13) 태정관 문서

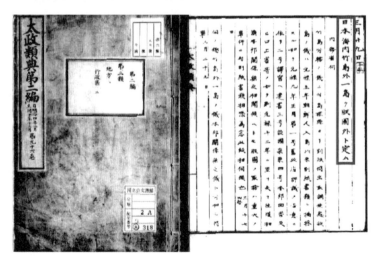

태정관 문서는 일본에서 가장 언급하기를 꺼려하는 문서이다. 왜냐하면, 1905년 1월에 다시 독도를 무주지, 무명, 무인도로 지정했기 때문이다. 앞

에서 이미 지도와 문서에 작성해 놓고, 1905년에 와서 모르는 섬이라는 거짓말이 들통 나기 싫은 것이다.

그 내용을 구체적으로 보면,

(1) 일본해 내 다케시마(울릉도) 외 일도를 판도 외로 정한다.

(2) 다케시마(울릉도) 소할 건에 대해 시마네현으로부터 별지로 조회가 있어 조사한 바, 해당 섬의 건은 겐로쿠 5년(1692년) 조선인이 입도한 이래 별지 서류에 진술한 대로 겐로쿠 9년(1696년) 정월 (제1호) 이전 정부가 (조선 측과) 의견을 교환하기 위해 (제2호) 역관에 서장을 보내 (제3호) 해당국을 왕래하여 (제4호) 본방(일본)의 회답 및 구상서 등에 있듯이 겐로쿠 12년(1699년)에 서로 왕복이 끝나 본방과 관계가 없는 것으로 결론이 났다고 들었습니다. 하지만 영토 판도의 취함과 버림은 중대한 일이므로 별지 서류를 첨부해 확인하기 위해 이것을 여쭈어 봅니다.

(3) 조회의 취지인 다케시마 외 일도(마쓰시마, 독도)의 건은 본방(일본)과 관계가 없는 것으로 명심해야 한다.

(4) (그 섬은) 이소다케시마(기죽도) 또는 다케시마라고 칭하여 오키국의 북서 120리 정도에 있다. 둘레가 약 10리 정도인데 산이 준험해 평지는 별로 없다. 그리고 강이 세 줄기 흐르고 폭포가 있다. 하지만 계곡이 깊고 조용하며 수목과 대나무가 주밀해 그 원천을 알지 못할 정도다. 어패류는 하나하나 거론할 수 없을 정도로 많다. 이들 가운데 물개(강치)와 전복이 물산 중 최고품이다.

(5) 다음에 일도(섬 하나)가 있는데 마쓰시마라고 부른다. 둘레는 약 30정인데 다케시마와 동일항로에 있고 오키섬에서 80리 정도 떨어져 있다. 나무나 대나무는 드물고 물고기와 짐승을 잡을 수 있다.

14) 조선국(조선팔도총도)

일본에서 출간한 〈조선국(조선팔도총도)〉에도 독도와 대마도는 우리 영토로 되어 있다. 당시 중국인이나 일본인 모두가 독도, 대마도는 우리 영토라는 것을 입증하는 중요한 사료이다.

일본에서 가장 유적지가 많은 쿄토 임천당에서 출간했다. 쿄토는 우리나라에서는 경주와 같은 지역으로 천년동안 도읍지였던 곳이라 고도 천년이라 흔히 말한다. 15세기 쿄토는 문화 도시이기도 했으며, 무사들의 교육도시라 할 수 있다.

이 책 3페이지에는 우리나라 〈조선팔도총도〉라는 지도가 있다. 이 지도에도 울릉도가 있으며 우산도가 있다. 울릉도 밑에 우산도가 그려져 있는가 하면 대마도도 우리 영토로 그려져 있다.

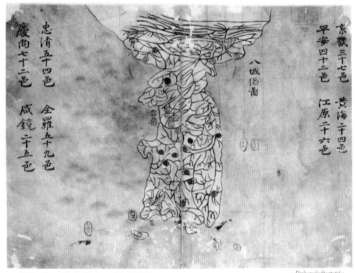

조선팔도총도_32.6x42.4cm_독도박물관

Palyeokchongdo
(Joseonjido)

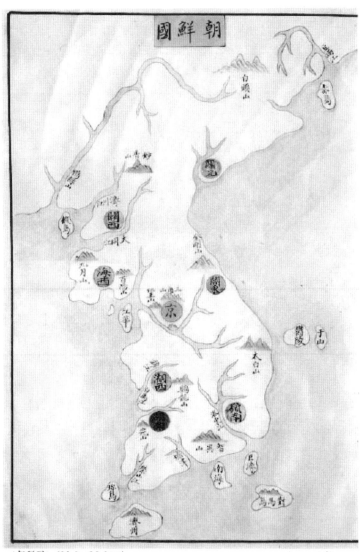

〈朝鮮圖〉 (28.0 × 19.0cm)
〈支那朝鮮地圖〉 (奎10332)

〈Joseonguk〉
〈Jinajoseonjido〉

조선국_28.0x19.0cm_독도박물관

15) 오기팔도 조선국 세견전도

　1874년 일본에서 정척과 양성지의 〈동국지도(1463)〉계통을 바탕으로 칼라로 인쇄하여 간행한 지도다. 우산도가 울릉도의 서쪽에 위치해 있으며 두 섬이 비슷한 크기로 작게 그려져 있다.

　우리나라에 남아 있는 동일 계통의 필사본 중 우산도와 울릉도 뿐만 아니라 전체의 모습이 거의 비슷한 것이 있어 원본에 충실하게 필사한 지도를 그대로 이용하여 제작한 것으로 볼 수 있다.

　〈조선국세견전도〉와 비슷한 내용을 담고 있지만 이 지도에서는 한반도 전체의 윤곽이 길고 가늘게 묘사되었다. 조선 전기의 또 다른 지도를 모본(母本)으로 한 것 같다. 남쪽에 비하여 북쪽은 좁게 표현되었다. 북방의 국경선이 드러나지 않고 일본에서 제작된 일본 지도와 달리 대마도를 하나의 섬으로 표현하였다.

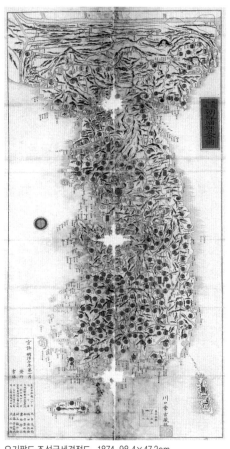

오기팔도 조선국세견전도_ 1874_98.4×47.2cm

16) 조선팔도지도(朝鮮八道之圖)

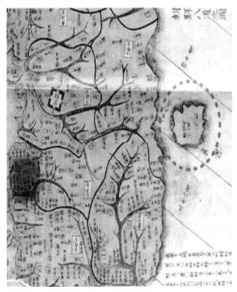

시헤이가 그린 소형지도 _18 세기_ 80x100㎝

이 지도는 18세기 일본의 대표적인 지리학자인 하야시 시헤이(林子平)가 그린 지도이다. 하야시는 일본 지도를 많이 그린 자로 알려져 있다. 육지는 노란색으로 조선팔도 명칭은 흑(黑)자로 기록하고, 동쪽의 동은 조선어로 '둥'으로 하고, 서쪽의 서는 '셰'로 표기하고, 남쪽의 남은 '담', 북쪽의 북은 '븍'이라고 기록되어 있다. 지도를 그린 자가 한글을 모르다가 보니 발음 나는 대로 잘못 기록한 것이다.

지도 밑에 각 도와 거리를 표시해 놓고 있다. 특이한 것은 지도를 보면 알다시피 울릉도와 우산도를 같이 그린 것이다. 우산국 옆에는 한자로 궁숭(弓嵩)이라 하고 가나 명으로 '이소다케'라 음을 달아놓았다. 이소다케는 돌산이란 뜻이다. 궁숭의 의미도 돌로 쌓인 섬이란 뜻이다. 작성 연대는 천명(天明) 5년 가을이라 되어 있고 지도를 출판한 곳은 도쿄에 있는 하시무로마찌(橋窒町)3정목으로 되어 있다. 경남 부산지역에 "쓰시마(對馬)는 조선의 영토라고 되어 있다. 일본어로 "쓰시마모쯔시(對馬持ツシ)"라고 되어 있다.

17) '독도는 조선 땅' 일본 근대 지리교과서

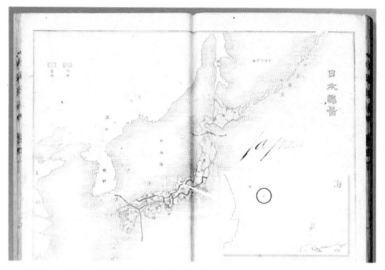

오카무라 마쓰타로가 일본 문부성 출판허가를 받아 1887년 편찬한 지리 교과서인 〈신찬지지(新撰地誌)〉에 수록된 '일본총도'. 울릉도와 독도가 조선의 영토를 의미하는 가로줄 표기 내에 포함돼 있다. 확대된 사진 속 붉은 원 안에 있는 섬이 독도. 독립기념관

일본이 러일전쟁 때인 1905년 독도를 강제 편입할 당시에도 독도를 자국 영토로 보지 않았음을 보여주는 일본 국정 교과서가 공개됐다. 독립기념관은 일본이 1905년까지도 독도를 자기네 영토로 기술하지 않은 근대 초중등 일본 지리 교과서 5점과 학생 및 일반인용 지리부도 2점을 발굴하여 독립기념관이 2012년 8월 28일 공개했다.

독립기념관이 경 공개한 자료들은 1880~1900년대 초반 일본 초중등학생용 지리 교과서 5점과 학생 및 일반인용 지리부도 2점으로, 이는 모두 '독도가 일본의 역사적 고유 영토'라는 일본 정부 주장의 허구성을 폭로한다.

이 중 일본 문부성이 1905년 3월 20일 발행한 〈소학지리용신지도(小學地理用新地圖)〉의 '대일본제국전도'는 일본 북부 시마(千島)열도까지 꼼꼼하게 영토로 표시하고 있으나 독도는 들어있지 않았다.

이 책 지리 통계표에도 독도에 대한 언급은 없다. 1905년 이전일본 문부성 검정 교과서에 독도가 조선 땅으로 표시된 자료는 동북아재단 등을 통해 공개된 적이 있으나 일본 문부성이 제작한 교과서에 이런 내용이 포함된 자료가 확인되기는 처음이다.

자료를 발굴한 독립기념관의 윤소영 연구위원은 "1905년에 나온 일본 국정 교과서에도 독도가 일본 영토로 표시되지 않은 것은 독도를 강제 편입하기 직전까지 독도를 자국 영토로 인식하지 않았음을 보여준다. 일본의 독도 영유권 주장에 대한 반박 자료라는 점에서 의미가 있다"고 했다.

독립기념관이 공개한 〈소학지리용신지도〉는 1905년 발행된 것이다. 저작은 문부성, 편찬은 '지리역사연구회'로 돼 있다. 맨 앞면 '대일본제국전도'에 보면 류큐(오키나와)의 부속 섬은 물론 1894년부터 식민화한 대만, 일본 북부의 시마열도까지 꼼꼼히 일본의 영토로 표시돼 있다. 하지만 독도는 빠져 있다.

18) 관판실측일본지도

고 백충현(1938~2007) 서울대 교수 는 생전 독도가 일본의 영토가 아니라는 국제법적 증거가 많을수록 국제여론전에서 유리하다고 보고 관련 자료 수집에 노력했다. 특히 독도가 일본 영토가 아니라는 사실이 표기된 일본 고지도, 그중에서도 국가가 펴낸 관찬 지도의 발굴에 관심을 쏟았다. 백교수가 일본의 독도 영유권 주장을 반박하기 위해 직접 사재를 털어 입수한 일본 고지도이다.

백 교수는 1996년 당시 외무부의 의뢰를 받고 일본에 자료 조사 출장을 갔다가 메이지대 박물관에서 새로운 지도를 발견했다. 일본의 유명한 지도 학자 이노우 다다타카(伊能忠敬. 1745~1818)가 1800~1817년 일본 전체를 실측한 자료를 바탕으로 1870년 발행된 '관판실측일본지도'(官板實測日本地圖)였다.

일본에서 '일본 지도의 모본(母本)'으로 불리며 권위를 인정받는 이 지도에는 일본 서북쪽의 오키섬(隱岐島)이 표시돼 있지만 오키섬에서 157km 떨어진 독도와 울릉도는 없었다. 도쿄에서 남쪽으로 약 1천km 떨어진 오가사와라(小笠原)제도까지 표시할 정도로 자세한 지도에 독도가 없다는 것은 당시 독도를 일본 영토로 파악하지 않았다는 의미였다.

지도의 중요성을 알아본 백 교수는 지도 사진을 찍으려 했지만, 제지를 받고 그냥 돌아올 수밖에 없었다. 이후 포기하지 않고 도쿄의 지도 전문 서점을 드나든 끝에 1년 후인 1997년 당시 환율로 1억원의 사비를 들여 관판실측일본지도의 또다른 판본을 구입했다.

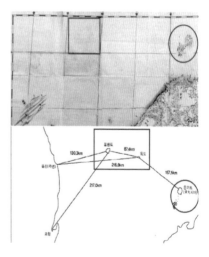

귀국한 백 교수는 논문을 써서 관판실측일본지도를 알리려 했다. 그러나 당시 한국과 일본 정부간 '신(新)한일어업협정' 체결이 논의 중이었던 상황을 고려해 논문 발표를 미뤘다. 결국 이 지도는 백 교수 생전 공개되지 못했다. 원본은 현재 외교부가 소장하고 있다.

19) 삼국총도

클라프로트(1783~1835)는 베를린 태생의 역사학자 및 언어학자로 대부분의 서구 언어뿐만 아니라 중국어와 일본어까지 능통한 당대 제일의 동양학 관계 학자였다. 그는 베를린, 페테스부르그(현재 레닌그라드), 모스크바 등의 도서관에 소장된 동양학 관계자료의 정리를 책임맡을 만큼 권위있는 학자로 한국어의 기초도 익힌 적이 있다.

1832년에는 영국 왕실의 동양학 서적 번역 기금을 얻어 일본에 살던 중국계 학자 임지평의 [삼국통람도설]을 번역하였고 거기에 '삼국총도' 및 '조선팔도 지도'를 별도로 첨가하였다.

이 지도가 본래 1785년도에 중국과 일본의 자료를 중심으로 작성되었다는 점과 1832년에는 당대 동양학의 권위자 클라프로트가 주석을 첨가하여 동양 3국에 관한 저서에 첨부 되었다는 사실은 이 지도의 중요성을 입증시켜 준다. 임자평의 〈삼국통람도설〉을 번역한 클라프로트는 그 책 안에 부록 지도첩으로 '삼국총도' 및 '조선팔도지도'를 첨가했다.

독도가 한국 영토임을 문자로 명기하고 있으므로 독도 문제에서 상당히 중요한 자료이다.

클라프로트(J.Klaproth)의 삼국 총도_1832년

20) 대일본사신전도

김문수 교수가 공개한 이 일본 고지도는 〈대일본사신전도〉다. 지도를 그린 하시모토 쿄쿠란사이는 에도시대 화가다. 하시모토 쿄쿠란사이는 북해도 동해 연안을 답사하면서 1869년 10월 명치 신정부가 허가한 지도(官許)를 그렸다. "동해는 조선해, 일본해는 일본서해"라고 적혀 있다.

한국과 일본은 동해 표기문제로 다투고 있다. 한국이 동해라고 부르는 바다를 두고 일본이 일본해라고 부르기 때문이다. 한국이 수차례에 걸쳐 동해 명기를 요청했으나 세계해상기구는 이를 묵살했다. 일본이 서해라는 방위개념을 버리고 명치 신정부 시절 일본해로 정한 뒤 세계수로기구에 등록했기 때문이다. 일본이 세계수로기구에 등록한 시기는 1920년으로 일제강점기에 해당한다. 그런데 이 지도는 일본해가 아니고 '일본서해'라고 명기돼 있다. 당시 일본은 방위 개념에서 '일본서해'라 하고 한국 동해 바다는 '조선해'로 기록해놨다.김문길 교수는 "이 지도는 일본 지도학자가 그린 지도다, 명치 신정부는 전에 방위개념으로 쓰다가 러일전쟁 때부터 방위개념을 버리고 일본해로 쓰고 있다"라며 "따라서 우리나라도 방위개념에서 벗어나 동해의 명칭을 조선해나 한국해로 써야 한다, 이 지도는 일본 박물관에 세 점이나 있다"라고 말했다.

김문수 교수는 일본 국립교토대학을 졸업하고 고베대학 대학원에서 한일관계사를 전공하였으며 부산외국어대학에서 일본어를 강의했으나 퇴직한 후 20년째 일본에 거주하면서 일본인들에게 한일관계사를 강의하고 있다..원래 고등학교 교사를 하다가 일본으로 유학가 일본사 전공하며 한일관계사를 본격적으로 연구하는 동안 독도관련 자료를 많이 찾아냈다. 일본유학 시절 친구들이 있었고 대부분 도서관장직을 맡고 있어 쉽게 찾아낼 수 있었다고 한다. 그의 꿈은 죽을 때까지 우리의 억울한 역사를 찾아내 우리의 정

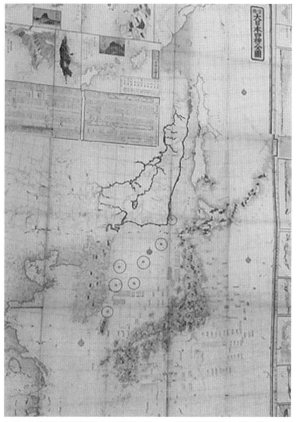

일본고지도인 〈대일본사신전도〉일본고지도 상단에 '관허 대일본4신전도'라는 글
귀가 있어 국가 공인지도라는 걸 확인할 수 있다. 한국의 동해에 해당하는 부분에
는 '조선해' 일본 쪽은 '일본서해', 남쪽에는 '일본남해', 동쪽은 '대일본동해'라고 적
혀 있다. ⓒ 오문수

체성을 밝히는 데 최선을 다하는 것이라고 한다.

　일본의 동쪽 바다는 '대일본동해', 일본 남쪽 바다는 '일본남해'란 글씨가
희미하게 보인다.

21) 신찬지지

오카무라 마쓰타로(岡村增太郎, 생몰년 미상)가 1886년 편찬한 지리교과서 '신찬지지'(新撰地誌)는 19세기 후반 일본이 독도를 자국 영토로 인식하지 않았음을 체계적으로 설명할 수 있는 일본 검정교과서이다. 일본 검정교과서 가운데 한국과 일본 사이의 국경선이 그어져 있는 가장 이른 시기의 지도는 독도가 조선 땅이었다는 사실을 밝힐 의미 있는 자료이다.

오카무라 마쓰타로는 1875년 도쿄사범대학교를 졸업했고, 1885년 출판사 '후큐샤'(普及舍)가 발행한 '교육시론'(敎育時論)의 편집자를 잠시 맡았다. 이후 1910년대 초반까지 사범학교 교원과 소학교 교장으로 활동했다.

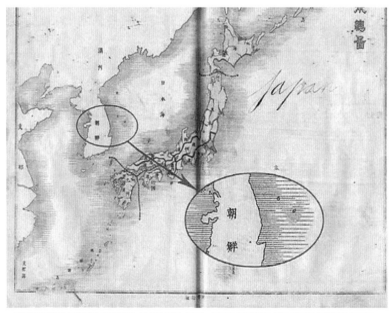

1886년 편찬된 신찬지지 권3에 있는 아시아 지도. 독도는 표시돼 있지 않고, 독도 쪽으로 국경선이 그어져 있지도 않다 울릉도와 독도가 표시돼 있고 조선 해역으로 빗금 표시가 돼 있다.

그가 지은 신찬지지 중 울릉도와 독도가 조선의 해역에 포함된 것으로 보이는 '일본총도'(日本總圖)는 조선 동해안에 이름이 적히지 않은 두 섬이 있는데, 빗금을 보면 조선의 영역임을 알 수 있으며, "시마네(島根)현 오키(隱岐)제도는 일본 쪽으로 빗금 처리가 돼 있음을 분명히 알 수 있다.

아시아 지도에는 일본의 국경이 붉은색으로 그어져 있다. 지도에는 남쪽의 오키나와와 쓰시마 섬부터 북쪽의 홋카이도와 오늘날 쿠릴 열도로 불리는 지시마(千島) 열도까지 모두 일본 영토로 표시돼 있다. 그러나 울릉도와 독도 해역은 확실하게 일본 영토에서 제외돼 있다. 국경선을 이처럼 처리한 지도는 지질학자인 야마가미 만지로(山上萬次郎)가 1902년과 1903년에 편찬한 교과서에서도 확인된다.

신찬지지의 권2에 실린 '일본전도'(日本全圖), 일본 시마네현과 돗토리(鳥取)현을 지칭하는 산인(山陰) 지역의 지도를 통해서도 뒷받침된다. 특히 일본전도에는 삽입도 형태로 부속도서가 빠짐없이 들어가 있는데, 오키 제도는 있으나 독도는 어디에도 없다.

한철호 동국대 역사교육과 교수는 오카무라 마쓰타로가 1892년 내놓은 '명치지지'(明治地誌)에서도 독도에 대한 이 같은 인식을 확인할 수 있다고 했다. 한 교수는 오카무라의 신찬지지에 대해 "권1은 인가제 교과서였지만, 권2~4는 일본 문부성이 검증한 교과서라는 점이 중요하다"고 설명했다.

이어 "오카무라의 지리 교과서는 검정을 받았기 때문에 개인적 견해가 아니라 일본 정부의 입장이라고 할 수 있다"며 "일본이 독도 영유권을 주장할 때 내세우는 고유영토론과 주인이 없어 점유했다는 무주지선점론을 비판할 수 있는 중요한 사료"라고 덧붙였다

4. 세계 지도 속의 독도

1) 프랑스 조선왕국전도 속의 독도

1737년, 프랑스의 유명한 지리학자 당빌(D'Anville)이 그린 『조선왕국전도』에도 독도(우산도)가
조선왕국 영토로 그려져 있다.

　프랑스인 당빌 D'Anville(1697~1782)은 1735년 듀 알드(Du Hade)가
저술한 〈중국제국의 지리 역사적 안내도〉의 지도를 담당하였으며, 중국에
서 보내온 동판도의 지도 부분을 일부 수정하여 듀 알드 저서에 수록하였
고, 별도로 지도만을 모아서 〈신중국, 중국령 달단 및 티벳〉 혹은 〈신중국
지도첩〉을 간행하였으며 또 별지로 〈조선왕국전도〉Royume de Core'e 혹
은 〈한국전도〉를 발간하였다고 한다.　서양에서는 섬을 발견한 선박의 명칭
을 따라 이름을 붙였는데, 1849년 프랑스의 포경선 리앙꾸르호는 '리앙꾸
르 암(Liancourt Rock)'으로 명명하였고, 1885년 영국함선 호네트호 또한
'호네트 암(Hornet Rock)'으로 명명하였다.

2) 조선전도(KARTE von TIO-SIONJ oder KOREA)

이 지도는 북경 주재 러시아 대리대사로 근무했던 포지오(Mikhail Alexksandrovic von Pogio)가 조선에 대해 저술한 저서를 독일어로 번역한 『Korea Aus dem Russischen von (Stanislaus) Ritter von Ursyn-Pruszynski』에 수록된 한국지도이다. 이 책은 조선의 간략한 지리적 상황을 제 1장에서 기술하고, 이후 종교, 정치형태, 인구, 언어, 사회계급, 천문학, 경제 등을 서술한 러시아인이 집필한 조선의 지리지이다. 이 지도의 출처에 대해서는 저서에서 직접적으로 언급하지는 않았지만, 책의 1장에서 조선에 대한 정보가 절대적으로 부족하였으나 중국에서 활약한 레지와 뒤 알드의 조선에 대한 기록을 참조해 윤곽을 파악하였으며, 1845년 Pater Kim(김대건 신부)의 지도를 이용하여 상세한 지리정보를 습득할 수 있었다고 언급했다. 이후 달레(Claude-Charles Dallet)의 조선교회사 등도 참조하였다고 기술하였다.

실제로 이 지도를 살펴보면 달레 신부의 『조선천주교회사』(Histoire de l'Eglise de Corée)에 수록된 조선지도 및 1880년 파리외방전교회의 『한불쟈뎐』에 수록된 〈됴선〉과 지도의 형태가 매우 유사함을 알 수 있다. 따라서 이 지도는 달레의 지도를 바탕으로 약간의 수정을 가한 것이다. 그런데 달레의 지도에는 가상의 섬인 아르고노트가 없는데, 이 지도에는 여전히 표기되어 있다.

울릉도는 'Olan-to I.(Dagelet)', 독도는 러시아 명칭 'Oliwuc Felsen(올리부차 바위섬)'/'Menelaus Felsen(메넬라이 바위섬)'이라고 표기하였다. 올리부차와 메넬라이를 조선지도에 포함시킨 것은 포지오가 독도가 조선의 영토였음을 알았기 때문이다. 또한 현재의 현해탄은 'Krusenstern

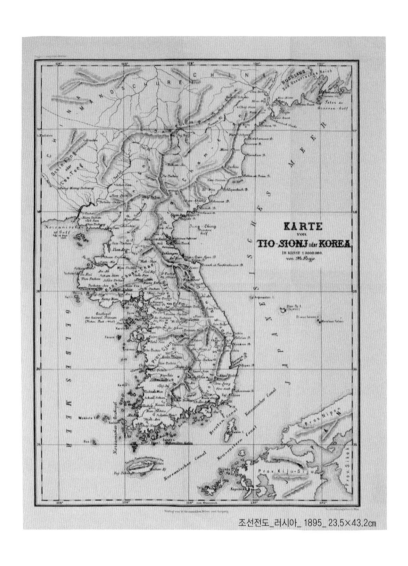

조선전도_러시아_ 1895_ 23.5×43.2cm

Canal' 그리고 대한해협은 'Brouton Canal'로 표기했는데, 이 둘을 합쳐 다시 대한해협(Koreanischer Canal)으로 표기하였다.

3) 이태리 지리학자 커놋 지도

대마도가 한국령이었다는 사실을 확인시켜 주는 고지도는 한일 관계사 등을 전공하는 한일문화연구소 김문길 소장(부산외대 명예교수)이 공개했다. "지리학자로 영국에서 활동하던 이태리인 거놋(J.H.Kernot) 씨가 탐험에 나서면서 1790년에 작성한 〈일본과 한국〉지도에는 울릉도와 독도뿐만 아니고 대마도가 한국 영토로 그려져 있다"고 밝히고 지도 사진을 공개 했다.

이 지도와 자료를 지난 2014년 4월 11일 지도 학자 일본인 구보이 노리오(久保井規 夫)교수의 연구실에서 입수했다고 밝혔다. 이 지도에는 대마도를 "STRAIT OF COREA" 로 표시해 "한국해협안에 대마도가 있다" 는 사실을 확인시켜 주고 있다.

특히 독도와 울릉도, 대마도의 관할 국가를 표시하는 지도 바탕 색깔을 한국 본토와 같은 황색으로 나타내 이들 섬이 한국령이라는 사실을 한눈에 알 수 있게 했다.

이 지도에는 독도를 일본식 발음인 "Dagelet(다제레트)", 울릉도는 "Argonaut(아르고노우트)"로 표기해 일본에서 입수된 자료로 지도를 작성한 것으로 추정된다"고 밝히고 "당시 일본인들도 대마도를 한국 영토로 인정하고 있었던 사실을 반증하는 자료"이며 "대마도는 일본 고지도 고문서에 우리말과 한글을 사용했다는 사실은 일찌기 알려진 사실이지만 이번에 발견된 지도는 대마도가 한국 해협안에 있다는 사실을 확인시켜 주는 귀중한 사료"라고 밝히고 "대마도는 본시 우리 땅"이었다고 강조했다.

대마도를 한국 영토로 표시한 지도는 많이 발견됐지만 우리 해협 안에 있는 것으로 분명하게 그려진 지도는 드물다. 이번에 발견된 고지도는 당시 세계인들도 대마도가 코리아 땅이라 인식했다는 사실을 확인시켜 주는 귀중

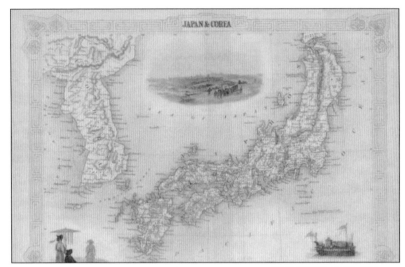

일본과 한국지도 , 이태리_1790

한 자료이다.

　1592년 도요토미 히데요시의 명령으로 일본인 구키가 제작한 〈조선팔도
총도〉에도 울릉도와 독도가 그려져 있고 대마도가 경상도에 속한 모양으로
돼 있다. 1830년 일본에서 만든 〈조선국도〉에도 울릉도와 독도, 대마도가
조선 영토로 나타나 있다.

4) 영국 아담스 일가의 지구본

동해를 '한국해'로 표기한 1700년대 지구의·천체의(사진)이다. 세계 주요국 정부들이 동해를 '일본해'로 단독 표기하려는 것과 관련해 우리 정부가 '동해와 일본해 표기를 병행해야 한다'는 공식 의견을 국제수로기구(IHO)에 제출한 가운데 확보된 자료이다.

1797년 조지 아담스와 더들리 아담스가 만든 이 유물에 동해는 'MARE COREA(한국해)', 서해는 'Mare Hoanhay(황해)', 대한해협은 'Fretum Corea(한국해협)'으로 표기돼 있다. 해외 고지도에 동해가 한국해로 표시된 것은 1700년대 지도에서만 존재하는 것으로 알려져 있다. 또 1800년대 이후에는 거의 모든 서양지도에 동해가 '일본해'로 표시됐다. 따라서 '한국해'라고 명기된 지도 및 선

영국 아담스가 만든 '한국해'라고 명기된 지구의 (지름 46cm, 높이 97cm)

박 항해용 지구의는 그 자체로 희귀한 유물이다.

이 지구의는 12쌍의 삼각형 천에 지도를 새겨 만들었으며, 지도의 테두리와 바다 부분에는 초록색을 칠했다. 지구의·천체의 아래에는 항해용 나침반이 부착돼 있다.

5) 프랑스 지도

1894년 9월 3일자 일요판 별지 전면(全面)에 실은 삽화 형식의 지도이다. '한국과 일본, 동중국의 지도(Carte de la Cor e du Japon et de la Chine Oriental)'란 제목으로 조선과 일본의 지형, 주요 도시, 도의(道)경계와 해상로 등을 세밀하게 그린 이 지도는 한반도와 일본 사이엔 점선을 긋고 '일본의 해상경계(Limite des eaux japonaises)'란 이름으로 바다 위의 국경선을 분명히 표시했다. 이 선은 동중국해에서 대한해협을 거쳐 북위 39도까지 이어져 있으며, 우산도는 이 선에서 약 220~400km 서쪽에 표시되어 있다. 대한 전도는동해상 울릉도 동쪽의 작은 섬을 그리고 우산이라 표기했다. 교과서 '초등대한지지(大韓地誌)'는 25쪽에 '우산도기(其) 동남에 재(在)니라'라고 독도에 대해 기술하고 있다.

독도는 울릉도와 함께 '우산도(i.Quen-San)'라고 표기되어 있다

6) 톰슨의 한국과 일본지도

지도를 소장하고 있는 호야박물관 양재룡 관장에 의하면 톰슨(Tomson, 영)은 지금의 울릉도의 자리에 다즐레(Dagelet, 울릉도)를 그려놓고, 강릉 앞바다에는 있지도 않은 아르고노트(Argonaut)를, 울진 바로 옆에는 독도 (Chun san tou, 천산도)를, 더 멀리에 울릉도(Fan lin tou)를 그려 울릉도

를 세 개나 그렸다. 모두 조선의 접철식 지도의 제작 기법을 모르고 접히는 방향에 따라 허상의 울릉도와 독도를 그렸기 때문이다.

이처럼 지도 밖으로 나가는 독도와 울릉도를 접어서 지도의 안쪽에 표시했던 우리나라 접철식 고지도의 제작 비밀을 제대로 알지 못한

톰슨의 한국과 일본지도_ 1815

서양인들 예를 들면 1815년 톰슨(Tomson, 영)의 한국과 일본 지도(Corea and Japan, 호야지리박물관 소장)에는 지금의 울릉도의 자리에 다즐레 (Dagelet, 울릉도)를 그려놓고, 강릉 앞바다에는 있지도 않은 아르고노트 (Argonaut)가 있다. 울진 바로 옆에는 독도(Chun san tou, 천산도)를 그리고, 더 멀리에는 울릉도(Fan lin tou)가 그려져 있다. 강릉 앞에 그려진 울릉도만한 아르고노트(Argonaut)를 차지하고자 러시아와 프랑스 군함이 찾아 나섰던 웃지 못 할 사실도 있다.

일본의 고지도는 1905년까지 독도(竹島, 다케시마)와 울릉도(松島, 마츠시마)의 위치를 서로 바꾸어 잘못 표기하고 있다.

7) 영국 런던에서 만든 한국지도

1904년 영국 런던에서 만들어진 한국지도(Map of Korea)에는 대마도
와 두만강 위쪽의 간도 지역을 한국 영토로 소개하고 있다.

1904년 영국런던에서 만든 한국지도(Map of Korea)

8) 중국 역사속의 독도

① 9세기 지도 속 독도

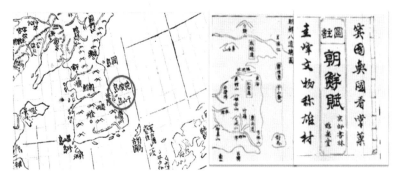

1845년 청나라에서 제작한 세계지도 '만국대지전도'중 조선부분 완릉도(울릉도)와 천산도(독도)를 한반도 근해의 섬으로 그려 두 섬이 조선에 속해 있음을 알게했다.(지도:이명희 박사 소장)

독도를 한국 땅으로 표시한 한국·일본·서양의 고지도는 다수 공개됐으나, 독도를 우리 땅으로 표시한 중국 고지도는 거의 알려지지 않았었다. 이 지도들은 19세기 청나라에서 만든 〈만국대지전도(萬國大地全圖)〉와 〈대지전구일람지도(大地全球一覽地圖)〉다. 경희대 이명희 박사(후마니타스칼리지 강사·중국근세사)가 공개한 1845년 제작된 〈만국대지전도〉는 여덟 폭으로 이뤄진 병풍식 세계지도로, 한반도 오른쪽에 완릉도(完陵島=鬱陵島·울릉도)와 천산도(千山島=于山島·독도)의 두 섬을 바짝 붙여 표시함으로써 두 섬이 조선 땅임을 분명히 밝혔다.

1851년 육엄(六嚴)이 제작한 세계지도 〈대지전구일람지도〉 역시 같은 방식으로 울릉도·독도를 그렸다. 이 박사는 "중국이 자랑스러워하는 19세기 청나라 제작 세계지도에 울릉도·독도가 조선에 속한다는 사실을 명확하게 표현한 것"이라고 말했다.

1895년과 1899년 지도는 물론, 독도 불법 편입 이후인 1908년과 1912년 지도에서도 독도는 일본령에서 제외됐다는 것이다. 심지어 패전 이후인 1948년과 1963년의 시마네현 지도에서도 독도는 없었다. 이 회장은 "일본이 독도를 자국 영토라고 확신하지 못했기 때문"이라고 말했다

② 중국인 동월의 조선국

중국인동월은 1488(성종 19)년 중국사신 동월(董越)이 중국 황제의 명을 받고 조선에 와서 보고 들은 것을 저술한 고서적이다. 이 서적에는 조선의 사회, 문화, 지리를 상세히 적혀 있으며, 독도도 우리 영토로 그려져 있고 대마도(對馬島)도 조선 영토로 표기된 것이다.

당시 이 서적이 얼마나 평가가 좋았던지 우리나라에서는 1697(숙종 23)에 필사본을 만들었고 일본도 1717년 필사본을 편찬하여 조선 사회와 지리를 알게 되었고 도쿠가와(德川)막부는 백성들에게 조선 풍토를 가르칠 때 이 교재로 사용했다. 이 책이 세계적으로 인기가 있어 중국은 사고전서(四庫全書)에 이 책을 넣어 출간하였다. 사고전서란, 유고, 경전, 역사 등 3458종 7만 9582권이나 수록한 유명한 역사서이다. 또

〈조선팔도총도〉에는 대마도와 독도가 조선의 영토로 그려져 있다

한 사고전서관도 만들어 오늘날까지 현존하고 있다.

　일본에서 출간한 〈조선국〉도 독도와 대마도는 우리 영토로 되어 있다. 당시 중국인이나 일본인 모두가 독도, 대마도는 우리 영토라는 것을 입증하는 유일한 사료이다. 일본에서 가장 유적지가 많은 쿄토 임천당에서 출간한 책이다. 쿄토는 우리나라에서는 경주와 같은 지역으로 천년 동안 도읍지였던 곳이라 고도 천년이라 흔히 말한다. 15세기 교토는 문화 도시이기도 했으며, 무사들의 교육 도시라 할 수 있다.

　이 서적의 3페이지에는 우리나라 〈조선팔도총도〉라는 지도가 있다. 이 지도에도 울릉도가 있으며 우산도가 있다. 울릉도 밑에 우산도가 그려져 있는가 하면 대마도도 우리 영토로 그려져 있다.

③ 청조일통도

　청나라의 진송정이 그린 지도를 일본의 세이타이엔이 1835년에 필사한 중국과 인도가 중심인 지도이다. 이 지도의 내용은 여러시대가 혼합되어 있고 지역도 뒤섞여있으며 백두산을 우측 상단에 크게 그렸다. 울릉도를 표시하고 그 상단에 독도를 자산도로 표기하였고 우리나라

〈청조일통도_진송정_1835〉

를 노란색으로 채색하였고 두 섬도 같은 노란색으로 채색하여 우리의 영토임을 분명히 나타내고 있다.

제 3 장

독도를 지켜온 사람들

1. 선각자 안용복 장군

조선 후기에 당시 동래부였던 부산 좌천동에서 태어난 안용복(安龍福, 1652~?)은 젊은 날 좌수영의 수군이었다. 안용복은 당시 부산포에 있던 왜관에 출입하면서 일본말을 배웠다. 1693년 능로군으로 군역을 마친 뒤 어민 40여 명과 함께 울릉도 부근으로 전복을 따러 나갔던 안용복은, 그곳에서 일본의 오오야 가문 어부들과 부딪쳤다. 당시 일본의 도쿠가와 막부는 오오야에게 '도해면허'를 주어 울릉도와 독도 근해에서 어로 활동을 하게 하였다. 안용복은 일본 어부들에게 왜 남의 바다에 와서 고기를 잡느냐고 항의하다 숫적인 열세에 밀려 일본의 오키시마[隱岐島]로 납치되었다.

18세기 일본 사학자 오키시마가 쓴 『죽도고(竹島考)』에 따르면, 당시 안용복은 서른여섯 살이었으며, 키가 작고 검은 얼굴이었다고 한다. 안용복은 오키시마로 끌려가 조사를 받는 과정에서도 울릉도와 독도가 우리 땅임을 강력하게 주장하였다.

얼마 후 안용복은 죄인 신분으로 다시 요나코를 거쳐서 도쿠가와 막부로 끌려갔다. 일본측 문헌인 『통항일람』의 기록에 따르면, 안용복은 막부의 조사에서도 "울릉도와 독도는 조선에서 불과 하루거리이지만, 일본 땅에서는 닷새 거리이므로 분명히 우리 땅"이라는 주장을 굽히지 않는다. 결국 안용복의 주장에 굴복한 도쿠가와 막부는, 안용복에게 울릉도와 독도는 일본 땅이 아니라는 서계를 건네주고 풀어준다. 일본 측 자료인 『인부연표(因府年表)』의 당시 기록에는 안용복을 송환할 때 호송사 두 명, 요리사 세 명, 병졸 다섯 명 등을 딸려 보냈다고 한다.

그러나 안용복은 송환 도중 나가사키에서 대마도주에게 서계를 빼앗기고, 다시 대마도에 90일 동안 구금된다. 구금에서 풀려나 조선으로 송환된 뒤에도 안용복은 부산의 왜관에 50일 동안 구금되어 있었다. 대마도주가 서계의 내용을 뜯어 고쳐서 울릉도와 독도의 관할권을 주장한 것은 당시 대마도 사람들이 울릉도 근해로 북류하는 쿠로시오 해류를 이용하여 울릉도와 독도 부근으로 어로를 많이 나가 있었기 때문이다.

당시 우리 조정은 울릉도에 농토가 없고 땅이 척박하여 사람들이 살기에 적합하지 않다는 이유로 수토정책(搜討政策)을 써왔다. 그 틈을 타서 1618년 도쿠가와 막부가 오오야 가문에 도해면허를 내준 것이었다. 당시 노론이 지배하던 조정은 임진왜란 후 일본국과의 국교를 고려하여 안용복 문제에 소극적이었다. 오히려 양국간에 불씨를 만든 안용복을 은근히 나무라는 분위기였다.

그러다가 인현왕후가 복권되면서 소론이 득세하게 되었는데, 소론은 노론과는 달리 울릉도와 독도에 대한 영유권을 주장하는 서계를 일본 막부에 보냈다. 이에 대해 일본 막부는 1696년 1월 28일 일본인들의 울릉도와 독도 근해에 대한 도해 금지 조치를 내렸다.

그러나 직접적인 이해관계에 있는 대마도주는 도쿠가와 막부의 말을 듣지 않고 계

1696년 6월 4일에 안용복이 타고 온 선박에 "조울양도 감세장신 안동지기(朝鬱兩島監稅將臣安同知騎)"라고 적은 깃발을 달고 돗토리번에 간 것은 사실로서, 일본 문서 〈다케시마고(竹島考)〉에도 실려있는 내용이다.

속 우리 조정에 영유권을 주장하였다. 이에 안용복은 '울릉우산양도감세관'이라고 자칭하고 울릉도로 건너가 일본인들을 내쫓고, 그 길로 일본으로 들어가 강력한 항의 끝에 다시 도쿠가와 막부로부터 "울릉도와 독도는 일본땅이 아니다"는 확약을 얻어낸 뒤 대마도주가 말을 듣지 않자, 대마도주가 조선조정으로 보내는 일본 막부의 물자들을 횡령한 사실을 일본 막부에 알리겠다고 협박하여 완전한 굴복을 얻어냈다. 『번례집요』가 바로 그것이다. 『번례집요』에서 대마도주는 비로소 울릉도와 독도의 조선 영유권을 인정하고 있다.

강원도 양양으로 돌아온 안용복은 이 사실을 비변사에 알렸으나 조정에서는 함부로 벼슬을 사칭하고 양국간에 외교 문제를 일으켰다는 이유로 안용복을 체포하였다. 그리하여 안용복은 함부로 국경을 넘나들었다는 범경죄 죄목으로 사형선고를 받았다가, 남구만과 몇몇 신하들이 나서서 그간의 공적을 변호해 주어 간신히 유배형으로 감형을 받았다. 안용복과 관련한 기록은 거기에서 끝이 나 있다.

1893년에 작성된 이나바지2에는 자산도가 우산도로 바뀌어 기록되어 있다. 즉, 일본인들은 안용복의 자산도가 우산도임을, 그리고 우산도는 일본에서 마쓰시마라고 부른다는 것을 확인해 주고 있다.

『고암집』에는 '안용복이 유배지에서 죽었다'고 기록되어 있으나, 그곳이 어디인지는 언급되어 있지 않다. 안용복 이후 조선조정에서는 울릉도와 독도의 중요성을 깨닫고 2년에 한 차례씩 울릉도와 독도를 순시하도록 하였다. 『성호사설(星湖僿說)』에서는 안용복과 관련한 일을 기록하며 "안용복은 영웅에 비길 만하다."고 평가하고 있다.

2. 독도의용수비대 홍순칠 대장

홍순칠(1929~1986)의 가계는 조부 때부터 울릉도 독도를 지켜왔다. 조부 홍재현(洪在鉉)은 조선시대 호조참판을 지내다 울릉도에 유배된 조부를 따라 울릉도에 정착하였다. 홍재현은 독도에 나타난 왜인들을 물리치는 데 그치지 않고, 직접 일본으로 건너가 독도가 조선의 영토임을 확고히 밝히고 돌아왔다. 그 후 계속되는 일본인들의 독도 침입은 아들인 홍종욱이 대를 이어 막아냈다. 손자인 홍순칠은 한국전쟁 중에 우리 행정력의 공백기를 틈탄 일본인의 왕래를 막기 위해 울릉도에 거주하는 전역군인들을 모아 독도의용수비대를 만든 뒤, 울릉도 경찰서장의 지원 하에 독도를 지켜 왔다.

홍순칠(洪淳七)은 1929년 1월 23일 경상북도 울릉군에서 출생하였다. 할아버지 홍재현(洪在現)이 1883년(고종 20) 4월에 강원도 강릉에서 울릉군 지역에 들어와 자리를 잡고 살게 되었다. 홍재현이 울릉군 지역에 자리를

왼쪽부터 홍순칠 수비대장, 구국찬 울릉도 경찰서장, 홍순엽 교육장, 임상도 울릉군수, 울릉고 교장, 경찰 수행원

잡을 당시에는 두 가구만이 울릉군 지역에서 살고 있었다. 홍재현과 관련하여 전하여 지는 일화가 있는데 1897년 6월 높은 산에 올랐다가 독도를 발견하곤 울릉도에서 향나무 한 그루를 가져가서 심었다. 다음 해인 1898년에 독도에 갔다가 일본인 무라카미[村上]를 만나 일본까지 동행하여 일본인의 독도 출입을 금지할 것을 당부한 무용담이 전하여 지고 있다.

홍순칠은 1950년 6·25전쟁이 일어난 뒤에 국군에 입대하여 함경북도 청진(淸津)까지 진격하였으나, 원산 근처에서 전상을 입고 1952년 7월 특무상사로 전역하였다. 고향인 울릉도로 돌아왔을 때 울릉경찰서 마당 한 쪽에 '시마네현 오키군 다케시마[島根縣隱岐郡竹島]'라고 쓴 표목이 놓여 있는 것을 우연히 발견하였다. 이 표목은 일본이 1905년 2월 22일「시마네현 고시 제40호」로 독도를 다케시마라 칭하며 일본 영토에 편입시켰는데 이에 대한 확인 표목이었던 것이다. 홍순칠은 이러한 사실을 확인한 후 독도를 지키고자 결심하였으며, 1952년 가을에 부산으로 가서 무기 등 장비를 구입하였다. 1953년 4월 20일 독도의용수비대를 조직하였으며, 독도의용수비대의 편제는 각각 15명으로 구성된 전투대 2조, 울릉도 보급 연락요원 3명, 예비대 5명, 보급선 선원 5명 등 모두 45명이었다. 이 가운데 3명을 빼고는 모두 6·25전쟁에 참전했던 군인 출신이었으며, 독도의용수비대 대장은 홍순칠이 맡았다. 독도의용수비대 조직 시의 장비는 경기관총 2정, M2중기관총 3정, M1소총 10정, 권총 2정, 수류탄 50발, 0.5톤 보트 1척 등이었다.

독도의용수비대를 조직한 1953년 4월 20일에 홍순칠과 독도의용수비대는 독도에 도착하여 경비를 시작하였다. 독도의용대는 1953년 6월 독도로 접근하는 일본 수산고등학교 실습선을 귀향하도록 조치하였으며, 1953년 7월 23일 독도 해상에 나타난 일본 해상보안청 순시선 PS9함을 발견하고 처음으로 총격전을 벌여 격퇴하였다. 그 후 체계적인 독도 수호를 위해 박

독도수비대원과 홍순칠 대장

격포를 구입하는 등 장비를 보충하였다. 1953년 7월에는 국회에서 울릉경찰서 소속 경찰관을 경비대로 독도에 파견하여 상주하도록 하였다.

1953년 8월 5일에는 독도의 동도(東島) 바위 벽에 독도가 대한민국 영토임을 밝히는 '한국령(韓國領)'을 새겨 넣었다.

1954년 11월 21일에는 1천 톤급 일본 해상보안청 소속 순시함 PS9, PS10, PS16함이 비행기 1대와 함께 독도를 포위하듯이 접근하였으며, 독도의용 수비대와 경찰 경비대의 항전으로 일본 함정들이 피해를 입고 16명의 사상자가 발생하였다. 일본 정부는 한국 정부에 항의 각서를 제출하고 독도우표가 첨부된 우편물을 한국으로 반송시켰으며, 일본해상 보안청의 함정은 매달 정기적으로 20일에서 24일 사이 출현하였다. 이에 홍순칠은 대책을 마련하고자 주위에 도움을 청하여 경상북도 지사로부터 구호양곡을 도움받기로 하였으나, 미군 고문관 소령은 한국과 일본이 서로 자국 영토임을 주장하는 독도분쟁에 미국의 식량을 사용할 수 없다며 구호양곡의 지급을 거절하였다. 식량을 마련하지 못하고 무기도 구하기 어려워지자 홍순칠은 가짜 대포를 생각 해냈다. 포구 직경이 20㎝ 정도이고, 포신이 자유롭게 돌며 에나멜로 단장하여 실제 대포로 보이는 목대포를 설치하였다. 목대포는 후에 일본에서 발간된 『킹』이란 월간지에 「독도에 거포 설치」라는 기사까지 나게 할 정도로 진짜 같았다. 목대포를 설치한 후 일본 측 함정이 나타났지만 그전처럼 근접하지는 않고 먼 곳에서 배회만 할 뿐이었다. 목대포는 독도의용수비대가 1956년 12월 30일 정부에 독도 수비를 인계할 때까지 일본 함정과의 총포전을 막아준 큰 역할을 하였다.

1956년 12월 30일 홍순칠과 마지막까지 남은 독도의용수비대 32명은 무기와 독도 수비임무를 경찰에 인계하고 3년 8개월 만에 울릉도로 돌아갔다. 1956년 12월 해산당시 독도의용수비대의 조직과 명단은 다음과 같다. 수비대장 홍순칠, 부대장 황영문, 제1전대장 서기종, 대원 김재두·최부업·조상달·김용근·하자진·김현수·이형우·김장호·양봉준, 제2전대장 정원도, 대원 김영복·김수봉·이상국·이규현·김경호·허신도·김영호, 후방지원대장 김병렬, 대원 정재덕·한상룡·박영희, 교육대장 유원식, 대원 오일환·고성달, 보급주임 김인갑, 보좌 구용복, 보급선장 정이권, 기관장 안학율, 갑판장 이필영·정현권. 울릉도로 돌아온 홍순칠은 독도의용수비대 동지회 회장으로 활동하였으며, 독도에서 10년 동안 탐수 작업을 벌여 1966년 9월 식수를 발견하여 수조 탱크를 설치하고 독도 근해에 출어하는 어민들이 이용하도록 하였다. 1983년 6월에 독도 정상에 대형 태극기를 설치하기도 하였는데, 1986년 2월 척추암으로 57세에 별세할 때까지 푸른 독도 가꾸기 운동을 펼치는 등 독도사랑을 몸소 실천하였다.

저서로는 사후인 1997년 출간된 수기 『이 땅이 뉘 땅인데』가 있다. 1966년에는 5등 근무공로훈장을 받았으며, 1996년에 보국훈장 삼일장이 추서되었다. 현재 울릉도 북면 석포마을에는 독도의용수비대기념관 건립공사가 진행 중이다. 여기에 수비대들의 활동자료가 모두 일반인들에게 공개된다.

3. 제주 해녀들

제주해녀들의 무대는 한반도의 남해안과 동해안은 물론 러시아, 중국, 일본 등 동아시아까지 뻗쳤다. 지난 50년대부터 독도에 들어가 물질하면서 독도지킴이 역할을 하며 독도의 실효적 지배에 앞장섰다.

독도는 해방과 함께 우리 어민들에게 돌아왔다. 이전에는 일본인들이 독도바다사자(강치), 전복, 해삼 등의 풍부한 해산물을 수탈하는 장소였다.

독도 어장은 국내 최고의 오징어 어장이자 미역, 소라, 전북. 해삼 어장으로 해방 후인 1948년 당시 주한미군사령부가 한국의 1만 6천 명의 어민들이 생계를 유지하는 곳이라고 보고할 정도로 중요한 어장으로 평가되기도 했다. 제주해녀들이 독도에 들어간 것은 일본인들이 1953년 6.25전쟁을 틈타 독도에 '일본 땅'이라는 푯대와 어업 금지 팻말을 세우는 등 독도를 수시로 불법 침탈하자 울릉도 청년 홍순칠이 독도의용수비대를 조직한 배경에 있다. 의용수비대는 당시 자체 경비를 마련하기 위해 미역 채취를 시작했으며 이에 제주도 해녀를 모집한 것이다. 당시 해녀들은 수비대에 고용된 노동자였지만 일본의 침탈 야욕에 맞시 독도에 상주하는 독도의용수비대와 함께 독도 지킴이에 큰 일조를 했다는 평가이다.

이 당시 독도의용수비대는 독도 동도 정상에 막사를 설치하고 독도사수에 들어갔으며 해녀들은 독도 서도 물골에서 생활했다. 해녀들은 물과 식량이 부족한 독도에서 생활하는 수비대에 큰 도움을 줬다.

수비대가 먹을 물이 떨어져 곤경에 처했을 때 해녀들은 서도 물골에서 물을 실어 동도에 살던 대원들에게 전달했다. 또 높은 파도로 울릉도 보급선이 독도에 접안할 수 없어 대원들이 아사 직전의 위기에 놓였을 때도 해녀들이 풍랑 속에 뛰어들어 부식물을 받아온 것으로 밝혀졌다.

1950년대 말 독도 서도에 가마니로 엮어 임시 숙소로 사용하던 물골 앞에 김공자씨의 모습이 보인다
(김공자 제공)

해녀들은 매년 봄부터 여름까지 독도에서 생활했으며 식량이 부족하면 갈매기알을 삶아 먹거나 쑥을 넣어 죽을 끓여 먹기도 했다. 당시 독도에는 해녀 50명, 보조원 20명 등 100명이 거주한 것으로 알려졌다.

김수희 영남대 독도연구소 연구교수는 의용수비대들이 기아 위험에 처하자 제주 해녀들이 자신의 생명을 돌보지 않고 풍랑 속에 뛰어들어 식량을 조달했다면서 의용수비대가 독도에 3년 이상을 주둔하게 된 것도 제주 해녀가 있었기 때문이라고 한다.

해녀들은 생계를 위한 활동에만 전념하지 않고 독도의용수비대를 도우며 독도를 지켜나갔으며 독도를 지킨 독도의용수비대와 경비대의 활동 뒤에는 제주 해녀들의 숨은 노력과 공로가 있었다고 한다.

제주해녀들의 궤적을 따라 독도도 변했다. 1968년 5월 어로시설물이 건립됐다. 1977년 9월엔 15㎡ 남짓한 슬레이트지붕 얹은 어민숙소, 물골과 숙소를 잇는 998계단이 설치됐다. 당시 제주해녀들은 바다에서 모래를 퍼 올렸으며 공사를 도왔다.

4. 조선산악회

 광복 후 1945년 9월 15일 백령회 회원인 김정태(金鼎泰)·김정호(金正浩)·방현(方炫)·이기만(李起晩)·주형렬(朱亨烈)·채숙(蔡淑)·이재수(李在晬)·박순만(朴順萬)·박상현(朴商顯)·양두철(梁斗喆)·김문배(金文培) 등이 주축이 되어 국내 학자들과 함께 조선산악회(1948년 정부수립과 동시에 한국산악회로 개칭)를 발족시켰다.

 1953년 10월 14일 한국산악회 조사단이 해군 함정을 타고 독도에 들어가 일본이 동도(東島) 자갈마당에 '島根縣 隱地郡 五箇村 竹島(시마네현 오치군 고카무라 다케시마)'라고 쓴 나무 기둥을 철거한 자리에 높이와 가로 각 45cm, 60cm 화강암표석 앞면에 '독도/獨島/ LIANCOURT', 뒷면에 '한국산악회–울릉도독도학술조사단/KOREA ALPINE ASSOC IATION– 15th AUG 1952'라는 글귀를 새겼다.

 이 독도 표석은 지난 1953년 10월 14일 한국산악회 조사단 36명이 해군 함정을 타고 독도에 상륙했다. 그 전신인 조선산악회가 1947년 독도에 영토 푯말을 세우고 6년 뒤였다. 조사단은 상륙하자마자 일본인이 '島根縣 隱地郡 五箇村 竹島(시마네현 오치군 고카무라 다케시마)'라고 써서 동도(東島) 몽돌 해변 인근에 세워 놓은 나무 기둥을 뽑아내고 그 자리에 세운 것은 미리 준비한 높이와 가로 각 45cm, 60cm 화강암 표석이었다. 앞면에는 '독도 獨島 LIANCOURT', 뒷면에는 '한국산악회 울릉도 독도 학술조사단 KOREA ALPINE ASSOCIATION 15th AUG 1952'라는 글귀를 담았다. '리앙쿠르(Liancourt)'는 당시 서구에 알려진 독도의 지명이었다.

 '1952년 8월 15일'은 당초 표석을 세우려던 날짜였다. 그러나 이 표석은

조선산악회 회원들은 일본이 세운 표석을 뽑아내고 화강암 표석을 다시 세웠다. 독도는 '다케시마'란 이름의 섬이 아니다. 다케시마는 한자로 죽도(竹島), 대나무 섬이란 뜻이다. 죽도는 울릉도 옆에 평지 섬이 따로 있다.(사진 김한용 작가, 1953)

이후 자취를 감췄다. '일본인들이 다시 독도에 상륙해 파내 갔다'는 설(說)과, '1959년 사라호 태풍 때 유실됐다'는 추측만 분분한 가운데 지금까지 모습을 감췄다.

5. 독도주민 1호 최종덕

최종덕(崔鍾德, 1925~1987)은 독도에 처음으로 주민등록을 이전하여 거주한 사람이다. 1965년 3월에 울릉도 주민으로 도동 어촌계 1종 공동어장 수산물 채취를 위해 독도에 들어가 어로활동을 하면서 1968년 5월에 시설물 건립에 착수하였다. 움막을 짓고 생활하기 시작한 그는 거센 바람과 파도로 피신하기를 반복하자 지금의 서도 어민 숙소 자리에 집을 짓기도 했다. 깎아지른 절벽에 998개 계단을 만들어 사람들이 위험하지 않게 다닐 수 있게 했게 마련 하는 등 무인도인 독도에 사람 냄새를 피웠다. 그 후 1980년 일본이 독도 영유권을 다시 주장하고 나오자, "단 한 명이라도 우리 주민이 독도에 살고 있다는 증거를 남기겠다."며 1981년10월14일 독도로 주민등록지를 옮겼다. 독도로 옮긴 최종덕의 행정 주소지는 경상북도 울릉군 울릉읍 도동 산 67번지 독도의 서도 벼랑어귀였다.

최종덕이 거주하는 동안 사위 조준기도 독도에 함께 거주하였다. 조준기는 1991년 전입하여 독도 주민이 되어, 8년 동안 독도에서 거주하였다. 조준기는 기주히는 동안 이들 조강현과 조한별을 출생함에 따라 자식들이 모두 주민등록상 출생지가 독도로 공인된 최초의 한국인들이 되었다. 이렇게 최

최씨 가족이 해녀들과 함께 독도에 어선을 끌어올리는 시설공사를 벌이고 있다. 고 최종덕씨와 가족들

종덕의 집안은 3대가 독도와 깊은 관련을 맺고 있다.

최종덕은 수중창고를 마련하고 전복수정법과 특수어망을 개발하고, 서도 중간분지에 '물골'이라는 샘물을 발견하는 등 수고와 노력을 쏟으며 1963년 첫 발을 디딘 후 어부로 22년간을 살았다.

1987년 9월 다이애나 태풍이 휩쓸어 집이 부서지자 복구자재를 구입하기 위해 육지로 나갔다가 쓰러져 생을 마감했다.

1982년 독도 계단공사를 하고 있는 고 최종덕씨 부부

우리 땅 독도에서 어업활동을 하면서 주민등록법상 독도 최초의 주민이자 반평생 독도가 우리 땅임을 전 세계에 각인시키는데 일생을 바친 고인의 공적을 높이 기려 '2008년 명예 신지식인으로 선정' 되었다.

1996년 4월 5일 해안가

6. 현재 독도 주민

현재 독도에 거주하는 주민은 김성도(독도호 선장)·김신열씨 부부와 편부경씨 3명이다. 김성도·김신열씨 부부는 1991년 11월 17일 이후 서도에 거주하며 어로활동에 종사하고 있다.

현주소는 경상북도 울릉군 울릉읍 독도리 20-2번지이다. 편부경(시인)씨는 2003년 11월 19일에 독도주민으로 이주했다. 김성도씨는 1970년대부터 최초의 독도주민 최종덕 소유어선(덕진호, 2.22톤) 선원으로 독도(서도)에 거주하면서 수산물 채취 등 공동어로 활동을 해오다가 1987년 최종덕씨 사망 후 본인 소유어선 (명성호 2.08톤, 부영호 1.5톤)을 이용하여 어로활동을 하다가 1991년에 현재의 주소지에 주민등록을 등재했다.

1999년 시마네현 일부 주민들이 독도로 호적을 등재한다는 사실이 보도된 후 '범국민 호적 옮기기 운동'이 한국에서도 전개되어 약 2,000여 명이 호적을 독도로 옮기게 되었다. 독도로 주민등록을 옮기고 실질적으로 거주한 독도 주민 1호는 1981년 경상북도 울릉군 도동어촌계에서 활동하던 최종덕씨 이후 최종덕의 사위인 조준기가 1986년 7월 8일 최종덕과 같은 주소에 전입하여 1994년 3월 31일 강원도 동해시로 이주하기 전까지 독도에 상주하였다.

2007년 11월에 조준기는 수년간 독도에 거주하면서 독도 홍보 및 지킴이 활동을 해왔다. 그리고 독도가 우리 영토임을 국내외 알리는데 일조한 공로가 인정돼 행정자치부에서 처음 실시한 국민 추천 정부 포상자에 선정돼 대통령 표창을 받기도 하였다.

조준기 이후 최종덕과 함께 어로 활동을 하던 김성도·김신렬 부부가 1991년 11월 17일에 주소를 독도로 옮겼다.

서울 여의도 국회의원회관 소회의실에서 독도평화재단(이사장 이병석)이
주최한 독도평화대상 시상식에서 독도리 이장 김성도, 김신열 부부가 특별상
을 받았다. 2014.12.10.

　이후 최종찬(1991. 6. 2~1993. 6. 7), 김병권(1993. 1. 6~1994. 11. 7,)
황성운(1993. 1. 7~1994. 12. 26), 전상보(1994. 10. 4~1994. 12. 18)가 독
도로 주민등록을 옮겼다.

　울릉주민들은 독도를 가기 위해 5만원 내외의 요금을 부담하여 왔으
나 2017년 9월 5일부터 여객선 운임지원 혜택을 받게 되어 도서민 부담액
(5000원~7000원)만 내면 언제든지 독도를 갈 수 있게 되었다. 독도 여객선
운임지원은 독도에 대한 국토수호의 의지를 높이고 독도영유권 강화와 울
릉군 이미지 제고에도 크게 기여할 것으로 보인다.

　참고로 일본인들은 1996년 일본인 '범국민 호적 옮기기 운동'으로 2,000
여 명이 서류상으로 독도에 등재되어 있다.

제 4 장

일본의 독도 침탈 역사

1. 독도는 조선 강점의 희생지

청일전쟁이후에 빼앗긴 독도는 카이로선언에 따라 반환되어야 한다. 황후를 시해하고, 황제와 대신을 협박하여 1904년 러일전쟁 발발과 함께 일본군의 한반도 강점기간 중에 강탈해간 땅이 바로 독도이다.

1) 살인 협박 강탈의 역사

1876	강화도조약: 일본인 치외법권, 무관세, 측량 허용
1894	청일전쟁 중 일본군 경복궁침입, 국왕 왕후 감금
1895	밤중에 궁궐난입 왕후를 잔혹하게 시해(을미사변)
1896	6개월간 감금상태 국왕, 궁녀가마 타고 탈출(아관파천)
1904.2	러일전쟁 직후 일본군 서울 점령, 황제 대신들 협박
	일본인 고문관, 재무 외교 경찰권 장악(제1차한일협약)
1905.2	시마네현 지적에 독도등재, 지방신문에 몰래 고시
1905.11	대한제국 황제 협박, 외교권박탈 통감부설치 국정장악,
	사실상 식민통치(을사조약)
1910. 8	한일합방, 전국토 강탈
1910~11	조선총독부 취조국, 조직적 대대적인 역사말살
	고문헌 20만권 약탈 소각

위와 같은 일본의 한반도 침략선상에 독도가 들어 있다. 일본은 1876년 강화도를 침략하여 무력으로 조선을 침탈하여 강화도 조약을 체결하여 일

본인의 치외법권을 관철시키고 무관세와 측량허용 등 불평등 조약을 맺었으며 1894년 청일전쟁 중 경복궁에 난입하여 국모를 시해하고 을미사변을 일으켰으며. 1904년 러일전쟁을 일으키고 대신과 황제를 겁박하여 제1차 한일합방조약을 강제한다. 이러한 와중에 독도에 사람이 살지 않는 틈을 타 독도에 일본 해군을 배치시켜 러시아와 전쟁을 준비 하였다.

1904년 2월 8일 일본 함대가 러시아 조차지인 뤼순군항을 기습하면서 러일전쟁이 발발하였다. 이후 육지와 해상에서 전투가 벌어졌으며 군사적으로 가장 전략적 요충지인 독도를 "다케시마"라고 명칭하고 2월 22일 시마네현으로 강제 편입시켰다. 이후 울릉도에 감시용 망루를 설치하고 독도에도 설치가능성을 조사함으로써 독도를 군사전략용으로 활용하기 위한 침탈임을 확인할 수 있다.

1905년 5월 27일부터 29일까지 러시아 함대는 도고 헤이하치로가 이끄는 일본 함대에 거의 전멸되고 말았다. 그러나 해전에 참가했던 발틱함대 돈스코이호는 끝까지 고군분투하며 적에 맞서 싸웠고, 결국 더 이상의 공격이 불가능하다고 판단되자 돈스코이 함대의 장병들은 이 배를 스스로 침몰시키기로 결심했다. 이렇게 돈스코이호가 울릉도 앞바다에 침몰하면서 쓰시마 해전은 일본의 승리로 막을 내렸다. 그리고 얼마 후 우리나라는 일제강점기라는 암울한 역사적 동면기를 맞게 된다.

이상의 사실에서 보듯이 독도는 일제 강점기 일본의 영토 침탈 선상에 있으며 세계 제2차대전 종료와 함께 일본이 강제로 점령한 영토는 원상회복 시킨다는 카이로선언에 따라 일본이 점령했던 만주 캄차카반도 동남아 일대의 여러 나라가 원상회복 되었다. 그런데 유독 독도만 영유권을 주장하며 망언 망동을 계속하고 있는 일본의 행태는 우리나라에 대한 3차영토침략 행위로 밖에 볼 수 없다.

2. 일본의 독도 재침탈 본색

1) 독도의 날 제정

일본은 2005년 일본 시마네현은 2월 22일을 '죽도(독도의 일본명)의 날'로 제정·공포하고 매년 대대적인 행사를 개최해 왔다. 죽도는 일본의 영토이므로 언젠가는 다시 되찾아야 한다는 일본 국민들과 세계 여론을 집중시켜 일본이 유리하게 이끌어가려는 야욕을 또 한 번 드러내고 있는 것이다.

자국의 학생들에게 일본의 영토인 죽도를 한국이 불법 점거하고 있으므로 반드시 일본의 땅으로 만들어야 한다는 교육을 하고 있는 것이다.

만약 안일하게 대처하여 적극적인 대처를 하지 않는다면 말이 안 되지만 어처구니없는 일이 현실로 다가올 수 있다. 그러므로 미래를 짊어지고 나갈 학생들은 독도 문제가 단순한 영토문제를 뛰어 넘어 우리 대한민국의 역사와 주권의 문제라는 것을 인식해야 할 것이다.

2) 일본 역사 교과서 왜곡

일본 역사교과서에 담긴 독도 영유권에 관한 내용을 알아보자

① 이쿠호샤 발간 「중학사회_새로운 여러분의 공민」

시마네현 오키제도의 북서쪽에 위치하고 있는 죽도는 일본 고유의 영토이다. 1954년(소화 29)부터 "한국에 의한 죽도의 점거는 국제법상 아무런 근거 없이 이루어지고 있는 불법점거"이고, "우리나라로서 엄중히 항의를 거듭하고" 있다. 또한 "평화적 수단에 의한 해결을 도모하기" 위하여, "국제사법재판소에 회부할 것을 제안하였지만, 한국은 이것을 받아들이지 않고 현

재에 이르고" 있다.

일본의 고유 영토임에도 불구하고 한국이 불법점거하고 있는 죽도. 시마네현에서는 1905년 2월 22일 현지사가 소속을 명확히 하는 고시를 한지 100주년이 되는 2005년에 이 날을 '죽도의 날'로 정하였다.

②지유샤 발간 「중학사회_새로운 공민교과서」
에도시대부터 일본이 영유

죽도는 대나무가 무성했던 섬으로 사람은 살 수 없지만 주변은 해류의 영향으로 풍부한 어장이다. 에도시대에는 돗토리번의 사람이 막부의 허가를 받아 어업을 하였다. 1905(명치 38)년, 국제법에 따라 일본의 영토로 하고 시마네현에 편입, 이후 실효지배를 해왔다. 전후에는 일본 영토를 확정한 국제법인 샌프란시스쿠 강화조약에서 일본 영토라고 확인되었다.

실력으로 점거

그러나 대일강화조약이 발효되기 직전에 한국의 이승만 정권은 일방적으로 일본해에 '이승만 라인'을 설정하고, 죽도를 자국력으로 편입하였으며, 위반했다고 간주한 일본 어선에 총격, 나포, 억류 등을 실시하였다. 1954년에는 연안경비대를 파견하여 죽도를 실력으로 점거하였다. 현재에도 경비대원을 상주시켜 실력지배를 강화하고 있다.

※ '죽도'는 독도의 일본 명칭, '일본해'는 동해의 일본 명칭, '이승만 라인'은 평화선을 말함.

3) 독도침탈로 세번째 영토 침략

일본이 독도를 삼키려는 이유는 시대에 따라 변하여 왔으나 그 근본은 변함이 없다고 본다. 일본은 1904년 러일전쟁을 일으키기 전에 독도에 일본 해군병력을 배치하여 러일전쟁의 승기를 잡으면서 독도침탈의 야욕을 더욱 구체화 하였다. 즉 1905년 10월 독도를 시마네현에 강제 소속시켰다.

조선은 그보다 5년 전인 1900년에 이미 고종이 칙령 41호를 발표하여 독도가 한국 땅이라는 사실을 세계만방에 공표하였지만 일본의 무력과 위협으로 주권이 말살된 상태라 속수무책으로 독도를 빼앗길 수밖에 없었다. 이때에는 군사적 요충지로서의 중요성으로 독도를 침탈하였다.

일본이 독도 침탈야욕을 못 버리는 이유는 아래와 같은 세 가지가 있다고 본다. 그 중 하나는 우리나라가 실효적으로 지배하고 있는 한, 지금 당장은 독도를 어떻게 할 수 없겠지만 틈나는 대로 문제를 제기해 놓음으로써 외교적인 기록을 남겨 두자는 속셈이다. 그렇게 함으로써 독도가 한·일간의 영유권 분쟁 지역이라는 인식을 국제사회에 확산시키고 나중에 언젠가 국제 정세가 일본에게 유리하게 돌아가는 날이 오면 본격적인 외교 분쟁을 벌일 수도 있으리라는 계산이다.

그리고 독도 문제를 센카쿠 제도(중국명 釣魚島 : 현재 일본이 점령 중)와 쿠릴열도 남단 도서(일본식으로는 북방 4개 섬 : 현재 러시아가 점령 중) 문제와 연결시키려는 의도가 있다는 것이다. 일본은 현재 센카쿠 제도를 놓고 중국·대만과 쿠릴열도 남단 도서를 놓고서는 러시아와 영토 분쟁을 벌이고 있다. 따라서 독도 문제에 강경한 입장을 보임으로써 다른 두 건의 분쟁 상대방에게 시위 효과를 거둘 수 있다는 것이다.

4) 일본강점 직전, 독도 침탈 일지

1903년 06월 23일 한국에 대한 일본의 우선권과 만주에 대한 러시아의

우선권을 각각 인정하자는 '만한교환론(滿韓交換論)'에 의한 대러시아 교섭을 결정

07월 23일 조선에 대한 우위와 청나라에 대한 기회균등을 인정하라고 러시아에 요구하였다가 거절당하자 1904년 2월 6일 대러 최후통첩 발송

1904년 02월 10일 선전포고에 앞서 8일 여순항을 기습 공격하여 전함 2척과 순양함 1척을 파괴하고 9일 인천항에 정박중인 러시아 함대를 격침시킨 다음 육군 1개 여단(추후 1개 사단 증파)을 인천에 불법 상륙시켜 우리나라를 단계적으로 전쟁기지화

05월 18일 모든 한-러조약을 강제로 폐기, 러시아의 두만강/압록강 지역 삼림벌채권을 취소하고 울릉도의 일부를 군용지로 수용

06월 15일 -07월 22일 모든 한-러조약을 강제로 폐기, 러시아의 두만강/압록강 지역 삼림벌채권을 취소하고 울릉도의 일부를 군용지로 수용

08월 -09월 남해의 홍도와 부산 절영도(1904. 8), 울릉도(1904. 9)에 군사목적의 망루를 설치하는 등 전쟁을 위해 전국 해안에 20개의 망루 설치

08월 22일 제1차 한일협정을 체결, 일본이 지명한 외국인 고문이 조선의 외교와 재정을 감독하는'고문정치'실시 외교고문과 재정고문에 각각 스티븐슨(美)과 메카다(日)를 임명, 감독권을 행사하게 하여 조선의 외교권과 재정권을 사실상 박탈

09월 24일 군함 '니타카호(新高丸)'가 울릉도 주민을 대상으로 독도에 대한 탐문조사 후 망루 설치가 가능하다고 보고 독도 강제편입 이후 군사적 활용 실태

09월 29일 일본인 어부 나카이 요사부로(中井養三郎)가 일본 정부에 독도 편입 및 임대청원서 제출

11월 20일 '쓰시마호'의 부함장 야마나카 시바기치(山中柴吉)와 군의장 이

마이 게비타로(今井外美太郎)가 세 시간 동안 독도에 상륙하여 조사 .부함 장은 망루 설치 가능지역을 정찰하고 군의장은 샘물 여부 및 식수 가능 여 부를 조사한 후 망루 설치 가능지역 3곳과 서도의 담수 존재 보고

1905년 01월 10일 내상 요시카와 아키마사(芳川顯正), 수상 가쓰라 다로 (桂太郎)에게'무인도 소속에 관한 건'이라는 비밀공문을 보내 독도 편입을 위한 내각 회의 개최 요청

01월 28일 내각회의에서 나카이의 '독도 편입 및 임대청원'을 승인 하는 형 식으로 독도 편입 결정

12월 22일 시마네현은 내무성을 통해 각의의 결정을 통고받고 시마네현 고시 제40호로 독도 편입 고시 . 대한제국은 1900년 10월 25일자 칙령 제 41호를 통해 울도군은 울릉도 이외에 죽도와 독도를 관할하는 것으로 한 다고 규정

06월 12일 해군성은 군함 하시다테호(橋立丸)에 독도 망루 설치방법의 적 부를 조사토록 비밀 지시

06월 13일 하시다테호로 독도를 시찰한 후 독도 정상에 망루 설치가 가 능하다고 보고

06월 24일 일본 해군성은 울릉도 북쪽에 무선전신 망루를, 독도에 보통 망 루를 추가 설치토록 지시

07월 14일 울릉도 북망루 기공/ 07월 25일 독도 망루 기공

10월 19일 울릉도 망루 철거 / 10월 24일, 독도 망루 철거

09월 05일 포츠머스조약 체결과 10월 15일 러일전쟁 종전으로 울릉도 및 독도 망루가 불필요하게 되었다고 판단

11월 09일 독도와 일본 마쓰에(松江) 사이에 해저전선 부설 . 한국 동해안 (죽변)~울릉도~독도~마쓰에 간 해저 전신선 부설 완성

제 5 장

강점기 이후 원상회복 과정

1. 대한제국, 독도를 되찾다

고종이 1900년 10월 22일 칙령 41호를 발표하여 독도가 한국 땅임을 세계에 공표한 것은 앞장에서 이미 언급하였지만, 워낙 중요한 사안이라 이장에서 재차 언급하여 일본의 독도 시마네현 강제복속이 허구라는 점을 강조하고자 한다. 엄연히 평온공연하게 영위되고 있는 남의 영토를 침탈하려는 일본의 침략행위를 우리는 저지하여야 한다. 그러나 5년 뒤인 1905년 1월 28일, 일본은 독도를 무명, 무국적(무주지)인 무인도로 규정을 하고, 2월 22일에는 독도의 이름은 죽도(竹島)로 바꾼 후, 시마네현에 강제 편입시켰다.

시마네현 고시 40

시마네현 고시 제 40호(1905년 2월 22일) 발표

시마네현 고시 제 40호에는 다음과 같은 내용을 확인할 수 있다.

北緯三十七度九分三十秒東經百三十一度五十五分隱岐島ヲ距ル西北八十五浬二在ル島嶼ヲ竹島卜稱シ自今本縣所屬隱岐島司ノ所管卜定メラル

明治三十八年 二月二十二日

명치 38년 2월 22일 島根縣知事 松永武吉

시마네현 지사 마츠나가 다케요시[松永武吉]

북위 37도 9분 30초, 동경 131도 55분, 오키시마[隱岐島]에서 서북으로 85해리 거리에 있는 섬을 다케시마[竹島]라고 칭하고 지금 이후부터는 본현 소속의 오키도사의 소관으로 정한다.

일본이 1905년 발표한 시마네현 고시는 1900년 대한제국의 칙령 제 41

호보다 5년 늦었다.

일제강점기에 황후를 시해하고, 황제와 대신을 협박하여, 1904년 러일전쟁 발발과 함께 일본군의 한반도 점령기간 중에 강탈해간 땅이 바로 독도이다. 2차대전 종전과 함께 일본이 강제 점령한 침탈지 독도를 원상복구 시켰다.

일본이 점령했던 만주지역과 캄차카반도가 중국과 러시아에 반환되었으나 유독 독도만 영유권을 주장하는 일본의 속셈은 독도가 보물섬이라는 것을 알기 때문이고, 민족성이 남의 것을 탐하고 빼앗는 해적과 같은 심보가 있기 때문이다. 일본이 일으킨 2차대전의 종전처리를 협의한 카이로선언과 포츠담선언 그리고 일본의 항복문서 내용을 살펴보아야 한다.

1) 카이로 선언 (1943.11.27.)

제2차 세계 대전 말기인 1943년 11월 27일 연합국 측의 루스벨트 미국대통령, 처칠 영국수상, 장개석 중국총통이 이집트의 카이로에서 회담을 갖고 대일본전 기본목적에 관해 협의한 결과 채택하였다.

이 신언은 연합국이 제2차 세계대전 후 일본의 영토방침을 처음으로 공식성명한 것으로, 그 주요내용은 다음과 같다.

①3국은 일본에 대한 장래의 군사행동을 협정했다. ②3국은 야만적인 적국에 대해서는 가차 없는 압력을 가할 결의를 표명했다. ③일본의 침략을 저지·응징하나 3국 모두 영토확장의 의도는 없다. ④제1차 세계대전 후 일본이 탈취한 태평양 제도를 박탈하고, 또 만주·대만·팽호제도(澎湖諸島) 등을 중화민국에 반환하며, 일본이 약취한 모든 지역에서 일본세력을 구축한다.

이밖에 특히 한국에 대해서는 특별조항을 넣어, "현재 한국민이 노예상태에 놓여 있음을 유의하여 앞으로 한국을 자유독립국가로 할 결의를 가진다"라고 명시, 처음으로 한국의 독립이 국제적인 보장을 받았다. 이 선언은 이상의 목적을 위해 3국은 일본의 무조건항복을 촉진하기 위해 계속 싸울 것을 천명했다.

카이로 회담, 왼쪽부터 장제스, 루스벨트, 처칠 연합국 수뇌 1943.11.

2) 포츠담 선언(1945.7.26.)

제2차 세계 대전이 끝나기 직전인 1945년 7월 26일, 독일의 포츠담에서 미국 대통령 트루먼과, 영국 총리 처칠, 중국 총통 장제스 등이 정상 회담에 참가하여, 일본의 항복을 권고함과 동시에 제2차 세계대전 후 일본에 대한 전후 처리 방침을 표명한 선언이다. 포츠담 회담에서는 1945년 5월 8일에 항복한 독일에 대한 전후 처리 방침을 정한 포츠담 협정도 체결되었다. 소련은 1945년 2월 얄타 회담에서 미국 대통령 루스벨트의 요청에 따라 스탈린이 약속했던 바대로 1945년 8월 8일에 대일 선전 포고를 하였다. 일본은 히

로시마와 나가사
키에 원자 폭탄이
투하되자 항복을
선언하고 〈포츠담
선언〉에서   정한
항복 조건을 받아
들였다.
　제8항 "카이로
선언의 모든 조항
은 이행될 것이
며, 일본국의 주권
은 혼슈우, 홋카이

1945년 독일 포츠담에서 미영소 등 세나라 연합국 수뇌가 공동선언을 발표했다. 이 선언에서 일본의 무조건 항복을 요구했지만 일본이 묵살하자 히로시마와 나가사키에 원폭을 투하하였다.

도, 큐슈, 시코쿠와 우리들이 결정하는 작은 섬들에 국한될 것이다."는 내용
이 포함되어 있다.
　일본은 포츠담 선언을 통해 카이로 선언을 전적으로 수용한다고 선언하
였으므로 폭력과 강탈에 의해 빼앗겼던 독도를 일본은 당연히 포기해야 한
다는 것을 뜻한다.

3) 일본항복문서 (1945.9.2)

　"우리(일본)는 1945년 7월 26일 포츠담에서 미국, 중국, 영국의 정부 수뇌
들에 의하여 발표되고, 그 후 소련에 의해 지지된 선언에 제시한 조항들을
수락한다. 우리는 이후 일본정부와 그 승계자가 포츠담선언의 규정을 성실
히 수행할 것을 확약한다."

1945년 9월 2일 연합국과 일본 대표는 동경만 미국 전함 미주리(Missouri)호 선상에서
항복 문서에 공식 서명함

위의 3개 문서, 즉, 포츠담 선언, 카이로 선언, 일본항복문서가 2차 대전
의 종전과 더불어 한국의 독립을 가져온 기본 문서이다.

포츠담 선언에서 한국의 독립을 결정하고, 카이로 선언에서 포츠담 선언
의 모든 항목이 이행될 것이라는 것을 확약하며, 일본의 항복선언에서 포
츠담 선언의 이행을 수락하는 3단계를 거침으로써 한국은 독립이 되었다.

연합국이 한국을 독립시키겠다고 천명한 최초의 문서는 포츠담 선언으로
연합국의 한국에 대한 인식은 "일본의 노예상태"라는 것이다.

2. 미군정으로부터 독도 인수

1946년 일본 도쿄의 연합국 최고사령부가 발표한 'SCAPIN 677호'에 첨부한 지도. 독도가 한국영토로 표기돼 있다. 2차대전 후 독도가 한국 영토임을 명시한 국제문서로는 '연합국 최고사령부 지령(SCAPIN) 제677호'가 있다. 당시 일본 도쿄에 설치된 연합국최고사령부는 1946년 1월 9일 발표한 SCAPIN 677호에서 일본의 영토에서 '울릉도와 독도, 제주도를 제외한다.'고 명시했다. 이를 근거로 독도는 한국에 반환되었으며 같은 해 6월 22일에는 SCAPIN 1033호에서 '맥아더 라인'을 설정해 일본 선박들이 독도의 12해리 이내에 진입하지 못하도록 했다.

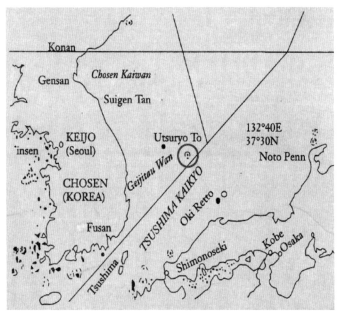

2차대전 후 독도가 한국 영토임을 명시한 국제문서로는 '연합국 최고사령부 지령(SCAPIN) 제677호

    국제법적으로 독도는 1943년 카이로 선언에 따라 침략전쟁 기간 중 (1905) 빼앗긴 땅을 되찾은 것이며, 해방이후 1946년 연합국에서 맥아더라인으로 한반도의 부속도서로서 통치해 오다가, 1948년 대한민국 건국과 함께 미군정으로부터 합법적으로 인수받은 것이다.

REPRODUCED AT THE NATIONAL ARCHIVES

DECLASSIFIED
Authority NND 96 8099
By O P NARA Date 11/22/87

SECRET

-2-

Union of Soviet Socialist Republics in full sovereignty.

Article 3

The Allied and Associated Powers agree that there shall be transferred in full sovereignty to the Republic of Korea all rights and titles to the Korean mainland territory and all offshore Korean islands, including Quelpart (Saishu To), the Nan How group (San To, or Komun Do) which forms Port Hamilton (Tonaikai), Dagelet Island (Utsuryo To, or Matsu Shima), Liancourt Rocks (Takeshima), and all other islands and islets to which Japan had acquired title lying outside . . . and to the east of the meridian 124° 15' E. longitude, north of the parallel 33° N. latitude, and west of a line from the seaward terminus of the boundary approximately three nautical miles from the mouth of the Tumen River to a point in 37° 30' N. latitude, 132° 40' E. longitude.

This line is indicated on the map attached to the present Agreement.

'연합국의 구 일본영토 처리에 관한 합의서' 3항의 독도 등을 완전한 대한민국의 주권에 귀속시킨다는 부분(자료:신용하 교수)

3. 폭격 연습장이 된 독도

1948년 6월 8일 일본 오키나와에 기지를 둔 미 공군기가 독도를 폭격하여 주변에서 조업하던 울릉도 어민 중 몇 십명에서 백여 명이 사망하고 20여 척의 크고 작은 선박이 침몰되는 사건 발생했다. 이 사건에 대해 미국은 '우발적인 사건'이라 발표하고 독도에 대한 폭격연습을 일체 중지하겠다고 발표했다.

그러나 1951년 7월 6일 독도가 연합국 최고사령관 지령 제2160호에 의해 폭격연습지로 재지정되어 1952년 9월 15일과 9월 22일 폭격 연습을 하였다. 이후 한국 정부는 독도 폭격 사건이 재발하지 않도록 주한 미국 대사관에 항의하였고 그해 12월 4일 미국 대사관은 독도를 폭격 연습 기지로 사용하지 않겠다고 회신을 받았다.

1950년 6월 25일 한국전쟁이 일어나자 유엔군과(미공군 포함) 미국 태평양 공군 사령관은 1951년 '한국방공식별구역(KADIZ)'을 설정했는데, 독도

를 한국영토로 재확인하여 '한국방공식별구역'안에 넣었으며, 일본방공식별구역에서는 독도를 제외하여 오늘날까지 시행하고 있다. 그리고 한국 정부는 1952년 '평화선 선언'을 선포하였다.

미 정부, 리앙쿠르 암초(독도) 한국령으로 인식하는 1940년대 미군 공식 문서가

미국 태평양 공군 사령관은 1951년 '한국방공식별구역(KADIZ)을 설정했다

있다. 미군 폭격 훈련 지역이었던 독도를 한국령이라 간주되니 훈련 대상 지역에서 제외시켜 달라고 요구하는 문서이다. 문서에서 리앙쿠르 암초(Liancourt Rocks)는 한국령(Korean territory)으로 간주되는(considered) 지역이라 기록하였다.

이 문서는 1945년~49년 미 극동군사령부 연합군 최고사령부, 유엔군 사령부 문서군의 주한미군 부관참모실에서 생산된 무선 메시지(Radio Messages)를 수집하는 과정에서 확보되었다.

시민단체 활빈단 대표이자 국제법학자 홍성근은 이를 파헤쳐 다음과 같은 사실을 찾아냈다.

1948년 8월 미극동군사령부 연합군 정보참모부(G-2)- 미국 국립문서기록관리청(NARA) 소장 자료

"일본이 미국을 이용하여 독도를 폭격연습지로 지정하는 등의 조처를 통해 한국과의 독도영유권 문제에서 우위를 차지하려고 한 것이 아니었던 가 하는 의혹을 제기하지 않을 수 없다"고 하며, 일본의 고문인 윌리엄 시볼드(Wiliam J.Sebald)를 비롯한 일본의 강력한 로비에 의해 미국과의 야합이 이루어진 것으로 볼 수 있다고 지적하였다.

1948년 사건으로부터 3년이 흐른 1951년 6월 8일, 독도의 서도 자갈밭 위에 경상북도 지사가 참석한 가운데 수많은 울릉도민들이 참석하여 위령비를 세웠다. 그런데 얼마 지나지 않아 위령비는 누군가에 의해 쇠망치로 파손되어 물 속에 내팽겨쳐졌다. 일본인에 의한 것이었다.

4. 이승만 평화선 공표

1951년 9월8일 제2차 세계대전 참전 연합국 49개국과 일본 사이에 전쟁 상태를 종결시키기 위한 평화조약(샌프란시스코 강화조약)이 미국 샌프란시스코 오페라하우스에서 체결됐다. 이 조약은 일본이 미국의 통치로부터 벗어나 국제사회로의 복귀를 의미하였다.

당시 일본을 점령한 미국의 더글러스 맥아더 장군은 일본 어민들이 '본토' 주변의 정해진 선을 벗어나 조업할 수 없도록 했다. '맥아더 라인'으로 명명된 이 선은 강화조약 발효와 동시에 폐지될 터였다. 발효는 1952년 4월 28일로 예정되어 있었고 이후 동해는 일본 어민들의 텃밭이 될 것은 자명한 일이었다.

전쟁이 한창이던 1952년 1월 18일 이승만 대통령은 '인접해양의 주권에 관한 대통령 선언' 이른바 '이승만 라인'을 관보(국무원 고시 제14호)에 실어 대내외에 공포하였다. 이승만은 '확정한 국제적 선례에 의거하고 국가의 복지와 방어를 영원히 보장하지 않으면 안 될 요구에 의하여 해안에서 50~100마일에 이르는 해상에 선을 긋고 인접 해양에 대한 주권 선언을 한 것이다.

평화선을 넘어 조업한 혐의로 한국 해군의 심문을 받고 있는 일본 어민들

일본은 평화선이 선포된 지 1주일 만에 정부의 첫 공식 항의성명을 외교 경로를 통해 우리쪽에 전달해 왔다. 언론에서는 '공해 자유를 완전 무시', '한국, 어업 교섭에 선수 치다' '오만무례하고 불손한 한민족', '한국의 해양 주

1955년 12월 1일 부산에서 재부(在釜) 수산단체가 '평화선 사수 어민 총궐기 대회'를 열었다. 시위 군중이 들고 있는 플랜카드에는 '백만 어민의 생명선인 평화선을 사수하자', '스나다(砂田) 독설(毒舌)이 … 분쇄하자' 등의 구호가 쓰여 있다.

권 선언은 영토 침략'이라는 감정 실린 성토까지 쏟아져 나왔다.

1965년 한일국교 정상화로 평화선이 새로운 한일(韓日)어업협정으로 대체되기 전까지 한국 해경은 328척의 일본 배와 3,929명의 선원들을 나포, 억류했다. 1955년 12월 25일엔 해양경찰대 866정이 흑산도 서남방 근해의 평화선을 침범한 중국 어선 15척을 나포하려다가 총격전이 벌어졌다. 한국 경찰관 네 명이 중국 배에 납치되어 가서 12년 5개월간 옥살이를 해야 했다. 1960년 1월 10일엔 해양경찰대 701정이 서해 서청도 부근에서 중국 어선단을 검문중 총격을 받고 두 사람이 사망하고 세 명이 부상했다.

독도와 평화선은 피로써 지켜냈다고 해도 과언이 아니다. '평화선 선언'은 일본의 입장에서는 일종의 외교적인 기습이었다. 당시 한−일간의 예비회담은 난항을 거듭하며 서로 간에 첨예하게 이해가 맞서고 있었다.

그 당시 자국의 바다를 확정해 영해에 대한 권리를 주장한 나라는 미국과 중남미 몇 개국이 전부였을 뿐만 아니라 아시아에서는 어느 나라도 그에 대한 관심을 기울이지 않았다. 선언이 선포되자 일본이 가장 강력하게 반대 반응과 함께 철폐를 요구하였고, 미국, 영국, 자유중국 등 우방국들도 부당한 조치라고 비판했다

또 일본 각지에서 연일 평화선 선포를 규탄하는 집회와 시위가 벌어지기 시작했다. 2월 12일 미국은 이승만의 평화선을 인정할 수 없다고 이승만대통령에게 통보해왔으나 초강경 자세로 이를 묵살하였다. 이 선언에 대해 미국과 일본은 반대하였는데, 특히 당시 일본 강점기 이후 외교관계가 정상화되지 않았던 일본과는 어로 문제, 독도를 포함한 해양 영토 문제로 이후 13년간의 분쟁을 불러일으켰다.

평화선 선포의 배경은 바로 우리 어업의 절박함이었다. 당시 국내 어선을 모두 더한 총톤수는 10만 t. 그나마 대부분이 무동력선이었다. 일본은 총톤수 200만 t에다 그 중 상당수가 한국 경찰선보다 빠른 '첨단'이었다. 또한 어업자원 및 대륙붕 자원의 보호가 시급하며, 세계 각국 영해의 확장 및 주권적 전관화 추세가 일고 있음에 대처, 특히 '맥아더라인'의 철폐에 따라 보완책의 하나로 설정한 것이었다.

그렇다고 평화선이 어업의 보호만을 노린 건 아니다. 평화선 안에 독도를 포함시킨 것이 절묘

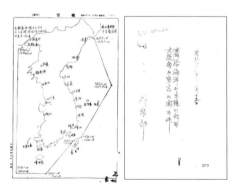

〈관보에 실린 평화선(1952)〉   〈평화선 선포 전 국무회의상정안(1952)〉

했다. 강화조약의 '일본이 포기할 지역'에 독도를 넣어 달라는 요구가 거부되자 선수를 친 것이다. 다급해진 일본은 열흘 뒤 '한국의 일방적인 영토 침략'이라며 '독도 문제'를 쟁점화했으나 이미 기선을 제압당한 뒤였다.

샌프란시스코 강화조약 체결

1951년 샌프란시스코 강화조약은 제2차 세계대전을 종결 하면서 연합국과 일본이 체결한 조약이다. 연합국들은 수차례 이 조약을 다듬었는데, 1차 초안에서 5차 초안까지는 독도가 한국영토로 표기되어 있었으나, 6차 초안에서 독도가 일본영토라고 기록된 것이다. 우리나라는 연합국 자격이 없었기에 조약 체결에 개입할 수 없었다.

그 이면에는 일본인과 미국인의 개인적인 모의가 있었던 것이다. 미국 국무성 주일 정치 고문 중에 윌리엄 제시 시볼드가 일본에 거주하면서 일본과 긴밀한 관계에 있었고, 일본 정부는 독도가 일본 땅이라 설득하였고, 시볼드는 미국 정부에 '독도에 대한 일본인들의 주장이 맞다'고 보고하자 미국은 시볼드의 의견을 받아들여 독도를 일본 영토로 표기한 6차 초안을 작성하였다. 일본은 5차 초안을 입수해, 휴회기간 3개월 동안에 독도를 미 전투기의 폭격연습장으로 제공한다는 등의 로비활동을 전개함과 동시에 6,600만 $의 정치자금을 미국 집권당에 제공했다.

그리하여 연합국초안 6차~9차에서는 거짓되게도 "독도는 무주지(無主地)였으며, 1905년 일본이 합법적으로 영토편입 됐다"고 해서 제6차 초안에서 독도를 일본영토에 포함 시키는 가증스러운 일들을 꾸몄다. 6차 초안에서 보여준 독단적인 미국의 행동에 대해 다른 연합국들이 거세게 비난하자, 제7차 초안에서는 독도를 다시 한국영토로 표시하였다.

그러나 시볼드는 포기하지 않고 다시 미국 정부를 설득하여 8,9차 초안에 독도를 일본 영토에 포함시켰다. 하지만 10,11차 초안엔 다시 한국영토로...
12차 초안에선 일본땅으로... 이렇게 계속 뒤집기를 반복했다.

결국 연합국들, 미국이 아닌 영국, 호주, 뉴질랜드 등 연합국들이 독도가
한국땅이라는 내용을 담은 초안을 만들었다. 그러나 이런 갈등을 중재하고
자 독도에 대한 언급 자체를 초안에서 제외시키는 결정이 이루어진 것이다.

이 조약 제2조(a)에서 "일본은 한국의 독립을 인정하고, 제주도, 거문도
및 울릉도를 포함한 한국에 대한 모든 권리, 권원 및 청구권을 포기한다"고
규정했다. 이는 한국의 3천여 개의 도서 가운데 예시에 불과하며, 독도가 직
접적으로 명시되지 않았다고 하여 처음부터 한국영토인 독도가 남의 나라
땅이 되는 것은 아니다.

그러나 1952년 일본의 매일신문사가 발행한 샌프란시스코 평화조약설명
서 실린 '일본영토지도' 역시도 한국영역으로 표시했다. 또한 미국의 설정한
'반공통제구역'에도 한국영역으로 돼 있다. 미국국립문서 기록보존소에 보
관된 평화협정초안은 맥아더장군 자필로 "일본은 독도에서 떠나야 한다."
고 지시한 것으로 적혀 있다. 미군정시대의 지도(地圖)와 400에 가까운 모
든 지도(地圖)와 일본 지도(地圖)에서도 독도는 한국의 영토로 분류돼있다.

1951년 9월 6일 샌프란시스코 평화조약 조인, 일본정부
는 마이니치신문 기사로 발표. 한국영토로 표시

샌프란시스코 평화조약 준비 과정에서 유일하게
작성된 영국지도엔 독도가 한국령으로 되어 있다

5. 한일간의 어업협정

1) 한일어업협정

　대한민국과 일본국은, 양국 국민관계의 역사적 배경과, 선린관계와 주권 상호존중의 원칙에 입각한 양국 관계의 정상화에 대한 상호 희망을 고려하며, 양국의 상호 복지와 공통 이익을 증진하고 국제평화와 안전을 유지하는 데 있어서 양국이 국제연합 헌장의 원칙에 합당하게 긴밀히 협력함이 중요하다는 것을 인정하며, 또한 1951.9.8 샌프란시스코시에서 서명된 일본국과의 평화조약의 관계규정과 1948.12.12 국제연합 총회에서 채택된 결의 제195호(III)을 상기하며, 본 기본관계에 관한 조약을 체결하기로 결정하여, 이에 다음과 같이 양국간의 전권위원을 임명하였다.

　대한민국
　대한민국 외무부장관 이동원
　대한민국 특명전권대사 김동조
　일본국
　일본국 외무대신 시이나 에쓰사부로(椎名悅三郞))
　다카스끼 신이치(高杉晉一)

　이들 전권위원은 그들의 전권위임장을 상호 제시하고 그것이 상호 타당하다고 인정한 후 다음의 제 조항에 합의하였다.
　제1조 양 체약 당사국간에 외교 및 영사관계를 수립한다. 양 체약 당사국은 대사급 외교사절을 지체없이 교환한다. 양 체약 당사국은 또한 양국 정

부에 의하여 합의되는 장소에 영사관을 설치한다.

제2조 1910년 8월 22일 및 그 이전에 대한제국과 대일본제국간에 체결된 모든 조약 및 협정이 이미 무효임을 확인한다.

제3조 대한민국 정부가 국제연합 총회의 결정 제195호(III)에 명시된 바와 같이 한반도에 있어서의 유일한 합법정부임을 확인한다.

제4조 (가) 양 체약 당사국은 양국 상호간의 관계에 있어서 국제연합 헌장의 원칙을 지침으로 한다.

(나) 양 체약 당사국은 양국의 상호의 복지와 공통의 이익을 증진함에 있어서 국제연합 헌장의 원칙에 합당하게 협력한다.

제5조 양 체약 당사국은 양국의 무역, 해운 및 기타 통상상의 관계를 안정되고 우호적인 기초 위에 두기 위하여 조약 또는 협정을 체결하기 위한 교섭을 실행 가능한 한 조속히 시작한다.

제6조 양 체약 당사국은 민간항공 운수에 관한 협정을 체결하기 위하여 실행 가능한 한 조속히 교섭을 시작한다.

제7조 본 조약은 비준되어야 한다. 비준서는 가능한 한 조속히 서울에서 교환한다.

본 조약은 비준서가 교환된 날로부터 효력을 발생한다.

이상의 증거로써 각 전권위원은 본 조약에 서명 날인한다.

1965년 6월 22일 동경에서 동등히 정본인 한국어, 일본어 및 영어로 2통을 작성하였다. 해석에 상위가 있을 경우에는 영어본에 따른다.

대한민국을 위하여 이동원 김동조

일본국을 위하여 椎名悅三郎 高杉晋一

일본

1998년 신한일어업협정에서
합의한 한일 공동 관리 수역

2) 신한일어업협정

1965년 6월 체결된 한일어업협정과 이 어업협정을 파기하고 1998년 11월 한일 양국 사이에 다시 체결해 이듬해 1월 22일부터 발효된 신한일어업협정의 내용과 차이점을 살펴보자.

① 한일 어업협정 파기 배경

일본은 1998년 1월에 1965년 한일 어업협정에 대한 일방적인 파기선언을 했다. 파기선언의 주요배경은 독도문제, EEZ문제와 맞물려 매우 복잡하지만 근본원인은 1965년 어업협정 제4조의 기국주의를 연안국주의로 바꾸기 위한 것이다.

기국주의는 공해의 선박은 그 선박의 소속국, 즉 그 선박이 등록되고, 그 국기를 걸고 있는 나라만이 관할권을 갖는다는 것이다. 이와 반대로 연안국주의는 연안국의 EEZ내에서 발생하는 불법어로 등의 행위에 대한 처벌권은 그 선박의 소속국이 아닌 연안국이 갖는다는 원칙이다.

1998년 일본은 어업협정 파기를 선언한 이후 연안국주의를 적용, 일본 근해에서 조업하는 우리 어선들을 나포해 법정에 세우기 시작했다. 이후 한일 양국은 2년 4개월 동안의 협상을 거쳐 '한일 신어업협정'을 맺게 되었다.

② 한일신어업협정 내용

1965년 체결한 1차 한일 어업협정에서는 연안 12해리를 어업전관수역(배타적 권리를 갖는 곳)으로 정했다. 그러나 1994년 유엔해양법협약에 따라 연안 200해리까지 배타적 경제수역(EEZ)이 되었다.

하지만 한일 양국이 연안 200해리까지 배타적 경제수역(EEZ)을 두며 겹치는 수역이 발생하므로 어업 분야에서 배타적 권리를 주장하지 못하는 공해(公海) 성격인 중간수역을 설정하였다.

동해에 한일 양측이 조업할 수 있는 중간수역을 설정하였다. 중간수역은 양측 연안으로부터 35해리 폭을 기준으로 하여 여러 개의 직선으로 연결된 다각형 모양이다. 동쪽 한계선은 동경 135도 30 분이고, 서쪽 한계선은 동경 131도 40분(울릉도 동쪽 35해리점의 경도)이다. 대화퇴 어장의 반 정도가 중간수역에 포함된다. 독도가 중간수역에 포함되므로 독도문제가 가장 크고 근본적인 문제를 안고 있다.

1차 협정시 독도기점 12해리(1해리는 약 18.6Km)를 대한민국 전관수역으로 결정한데 반해 2차 협정시 배타적 경제수역 200해리(EEZ)로 결정하여 일본과 겹치면서 김대중정부에서는 배타적 경제 수역의 기점을 독도로 하지 않고 울릉도로 정하게 되었다.

1999년 1월 발효한 신 한일어업협정에 의해 다른 지역은 배타적경제수역(EEZ)을 35마일로 하면서도 울릉도 기점에서는 33마일까지만 설정해 독도를 우리 EEZ 밖에 놓았으므로 어업협정을 폐기 또는 전면 개정하는 기초 위에서 독도에 대한 실효적 지배를 강화해 나가야 한다. 실효적 지배는 여러 국제재판기관의 판례에 비추어 충분성과 평온성을 확보하는 방향에서 이루어져야 한다. 또한 실효성의 확보·증대는 독도에 대한 개발 및 보존을 병행하되, 대한민국의 입법·사법·행정적 관할권을 확대하는 것을 내용으로 추진해야 한다.

그 동안 우리정부는 다소 소극적인 자세로 대응하여 왔다. 우리는 독도의 영유권문제에 대한 일본의 태도를 절대로 간과해서는 안 될 것이다. 즉 한편으로는 독도에 대한 일본의 영유권주장에 대하여 외교적으로 적절하게 대응하는 한편, 다른 한편으로는 독도의 실효적 지배를 강화하기 위한 입법적 행정적 조치들을 강구하여야 한다.

〈신한일어업협정 요약〉

- ■ 배경(1998.11.28.체결, 1999.1.22.발효)
- − 1994년 유엔해양법협약 발효로 200해리 배타적경제수역(EEZ) 확립
- − 1965년 체결된 구 한일어업협정을 일본이 1998년 일방적 종료
- − 한일간 EEZ 미 체결상태에서 어업질서 필요
- ■ 적용범위
- − 어업협정은 어업에 관한 문제만 적용(독도 영유권과는 관계없음)
- − 한일간 배타적 경제수역에 적용(독도와 12해리 영해는 제외)
- − 어업협정은 EEZ경계문제를 다루지 않음(EEZ경계는 별도 합의로 정함)
- ■ 주요내용
- − 양국이 정한 수역내에서 어업조건(어종, 어기, 할당량, 조업구역 등) 정함
- − 수산자원의 실태와 보존관리, 어업협력사항, 중간수역에서 기국주의 적용
- − 양국 EEZ수역에서는 상호 입어 허가에 의해 어획량을 할당받아 조업

6. 반성을 모르는 일본

일본의 한 사학자는 우리나라가 일본으로부터 931회의 침략을 받았다고 했다. 이중 대다수는 왜구의 침입이었다. 왜구는 1223년~1265년 사이에 수시로 침입해 약탈을 했고 1350년~1391년의 40년 동안에는 무려 591회나 침입해서 약탈을 했다.

이후 조선시대로 넘어와 1392년부터 1555년까지 왜구는 울릉도 등에 침입해 살인과 약탈을 일삼았다. 보다 못한 조정은 울릉도 주민을 보호하고 왜구의 침략을 막기 위해 울릉도주민을 이주시키기까지 한다. 이는 얼마나 왜구가 잔인하고 도가 지나쳤는지를 말해주는 것이다.

일본 위정자들은 앞장에서도 언급한바와 같이 군국주의의 기치를 들고 한반도를 침탈하여 국권을 탈취하고 명성왕후를 시해하고 한반도를 식민지 하여 자원을 수탈하고 우리의 젊은 청년을 전쟁에 동원하여 총알받이로 삼았으며 이 땅의 꽃다운 젊은 여성을 위안부로 강제 동원하여 인권을 유린하고 일생을 망가트린 장본이면서도 변변한 사과 한마디 없이 철면피 같은 주장을 계속하고 있다. 여기에 더하여 누천년 이래로 한국의 고유 영토를 자기 땅이라고 억지를 쓰고 있다. 일제시대의 영토침탈의 버릇을 고치지 못하고 지금도 이웃나라의 땅을 욕심내어 못된 행위를 일삼고 있으니 우리는 더욱 분발하여 일본을 능가하는 선진대국이 되어야 할 것이다.

1) 아베의 사상적 뿌리는 정한론

최근 도발적인 망언을 계속하고 있는 아베 신조 일본총리는 그 사상적 뿌리가 정한론에 닿아 있다. 조선일보 보도에 의하면 이태진 서울대 명예교수는 "한국학회가 일제 침략주의 사상적 기반을 제대로 연구하지 않는 것은 피해자의 직무유기다."라고 말했다. 그는 또 "아베 총리의 사상원류는 정한론의 원조인 요시다 쇼인(吉田松陰· 1830~1859)이며 쇼인은 한반도 침략을 주도한 이토 히로부미(伊藤博文), 가스라 다로(桂太郞)의 스승으로 유수록(幽囚錄)을 통해 조선과 만주정복을 설파했다."고 하였다.

일본이 해외 나라를 무력으로 식민지로 삼아 일본이 부국강병을 이루게 한다는 정한론은 군국주의의 기본정치 이념이다.

아베 총리는 2013년 12월 야스쿠니 신사 참배 전 야마구치현 하기에 있는 쇼인의 묘소에 참배했다. 이러한 사상적 근간을 가진 아베 총리의 망언은 계속되고 있다.

2) 일본의 망언들

최근 일본 위정자들의 망언· 망동을 모아 본다.

2004년 12월 17일 마치무라 노부타카 일본외상이

"내년은 일본의 한국 지배 100년을 기념하는 해" 발언

2006년 8월 15일 고이즈미 총리 야스쿠니 신사 참배

2013년 들어서는 망언과 망동이 부쩍 늘어 그 도를 넘고 있다.

4월 21일 아소다로 부총리 포함 각료 3명 야스쿠니 신사 참배, 아베총리 공물 봉납

4월 23일 중참의원 168명 야스쿠니 참배

5월 12일 아베총리 731 세균부대 상징 731자위대 훈련기 탑승, 다카이치 시나이에(자민당 정조회장)

"무라야마 담화에서 침략이라는 단어는 적절치 않다" 발언

5월 13일 하시모토 도루(일본 유신회 대표)

　　“전장에서 위안부제도 필요하다. 왜 일본 위안부만 문제 되나?”

　　발언

5월 14일　하시모토(발언은 5월 1일) “주일 미군들이 풍속업(매춘)을

　　　　좀 더 활용했으면 좋겠다.” 발언

5월 17일　니시무라 신고(중의원 의원)

　　“일본에는 한국인 매춘부가 우글우글하다.” 발언

5월 18일　이시하라 (일본 유신회 공동대표)

　　“제2차 세계대전은 침 략이 아니다” 발언 “침략이라고 규정하는

　　것은 자학 일 뿐 역사에 관해서 무지한 것.” 발언

　　12월 26일 아베총리는 드디어 야스쿠니 신사 참배를 강행하고 종군 위안부문제에 대해서도 “강제성을 증명하는 증언이나 뒷받침 하는 것은 없었다.”고 말하며 아소다로 부총리는 “나치의 개헌수법을 배우자” 는 망언을 하였으며 아베총리는 국제회의 석상에서 “지금의 동북아 정세는 제1차대전 시 유럽과 같다. 우발적 충돌을 막을 로드맵이 없다” 라며 협박 수준의 침략 근성을 나타내고 위협적인 발언을 한 바 있다.

　　뿐만 아니라 과거 일본 정부가 발표했던 모든 발표마저 부정하고 있다.

　　과거 일본 정부가 발표한 담화 내용은,

　　1982년 8월　미와자와 담화 교과서 주변국 배려

　　1983년 8월　고노 담화 위안부 사과와 반성

　　1995년 8월　무라야마 담화　침략전쟁 속죄

　　2014년 6월 20일 고노담화 검증 보고서

　　2014년 7월 1일 아베신조 내각, 일본 집단 자위권 행사 선언

심지어 최근에는 고노담화를 검증해야한다는 일본 외교부부장의 망언이 대두되고 있어 세계의 빈축을 사고 있다. 이러한 행보는 자기기만이며 역사부정과 궤를 같이하는 위험한 사태로 주변국과 마찰을 빚을 수밖에 없는 것이다.

1993년 발표된 고노 담화는 일본 정부가 최초로 일본군 위안부 피해자와 관련하여 총체적 강제성을 공식 인정하였다. 이후 역대 일본정부는 동 담화를 계속 계승해 왔고 2012.12월 출범한 아베정부도 국제사회의 강력한 여론에 따라 고노 담화를 계승한다는 입장을 밝혔으나 이후 그 작성경위에 대한 이른바 검증작업을 강행하더니 2014.7.1 아베신조 내각은 집단자위권 행사를 선언했다.

아베 정부가 겉으로는 고노담화를 계승하겠다고 하면서도, 내심으로는 한일간 협의 내용을 자의적으로 편집하여 사실 관계를 호도함으로써 고노담화의 신뢰성을 훼손하고 유명무실화시키려는 의도가 분명히 엿보인다.

독도를 분쟁 지역화 하는 것도 모자라 자국 초등학생부터 교과서에 독도는 일본영토라고 배우게 하겠다고 하고 있다. 미래 세대에게 잘못된 역사를 가르치는데 혈안이 돼 있는 일본을 보면 일본 제국주의가 아직도 건재함을 알게 된다.

옛날일은 덮어두고라도 근대의 침략행위를 따져보면 첫 번째는 임진왜란이요. '명나라를 치러가니 길을 비켜 달라'는 야비한 전술로 조선전역을 침략하여 임진왜란과 정유재란을 일으켜 7년간 조선팔도를 초토화 하였다.

두 번째 침략은 1910년 한일합방으로 36년 간 식민지로 삼아 국권을 빼앗고 이 땅을 마음대로 노략질한 일제 강점기이며, 세 번째는 독도를 일본 땅이라고 생떼를 쓰며 역사를 왜곡하고 있는 뻔뻔스런 작금의 사태라고 할 수 있다.

3) 日 아베 정권 독도 영유권 도발 일지

일본 문부과학성이 31일 독도와 센카쿠(尖閣·중국명 댜오위다오〈釣魚島〉)열도를 일본 고유 영토라고 명기한 초중학교 사회과 신학습지도요령을 확정하며 교단에서 독도 왜곡 교육을 의무화했다.

일본은 그동안 교과서 검정 과정에서 독도가 일본 땅이라고 표현하도록 유도했지만, 법적 구속력이 있는 학습지도요령에 이런 내용을 명시하는 것은 이번이 처음이다. 극우·보수화로 치닫는 아베 신조(安倍晋三) 정권이 '독도=일본땅'이라는 왜곡 교육을 강제하도록 제도화했다.

다음은 한일 관계에서 갈등을 일으킨 일본 교과서 검정 관련 사건의 일지다.

▲ 1949년 4월 = 일본, 검정 교과서 사용 개시

▲ 1965년 6월 = 이에나가 사부로(家永三郎), 문부성 검정 항의 소송 제기

▲ 1982년 6월 = 문부성, 고교 역사 교과서 검정에서 중국 '침략'을 '진출'로 바꿔 쓰도록 지시해 파문

▲ 1982년 7월 = 한국·중국 정부가 시정 요구

▲ 1982년 11월 = 문부성 '근린제국 조항' 검정기준에 추가

▲ 2000년 9월 = 침략 미화, 황국 사관 중심의 '새 역사 교과서를 만드는 모임'(새역모) 교과서 검정 신청본 내용 공개돼 파문

▲ 2001년 2월 = 한국 · 중국, '새역모' 교과서 문제 정식 제기

▲ 2001년 4월 3일 = 새역모 교과서 등 8종 검정 통과 발표

▲ 2001년 4월 10일 = 새역모 교과서 검정 통과 등에 반발해 이뤄진 소환 결정에 따라 최상룡 주일 한국대사 귀국

▲ 2005년 3월 29일 = 나카야마 나리아키(中山成彬) 문부과학상, '학습지도요령'에 독도와 센카쿠(尖閣)열도를 일본 영토 명기 주장.

▲ 2005년 3월 31일 = 시모무라 하쿠분(下村博文) 문부과학성 정무관 "위안부 문제를 중·고등학교 역사 교과서에서 가르치는 것은 부적절"

▲ 2005년 4월 5일 = 문부성, 후소샤(扶桑社) 왜곡 교과서 검정결과 합격 공식 발표

▲ 2006년 12월 = 1차 아베 신조(安倍晋三) 내각, 교육기본법 개정(1947년 제정 이래 처음)

▲ 2008년 3월 28일 = 초·중학교 새 학습지도요령 관보 고시. 초등학교 학습지도요령 총칙에 "우리나라와 향토를 사랑하고"라는 문구 첫 포함. 중학교 학습지도요령 쿠릴열도 4개 섬〈일본명 북방영토〉을 '일본 고유 영토'라고 명시

▲ 2008년 7월 14일 = 중학교 학습지도요령 해설서 개정("한국과 일본 간에 독도에 대한 주장에 차이가 있다는 점 등에 대해서도 취급, 북방영토와 동일하게 이해를 심화시킬 필요" 명기)

▲ 2008년 7월 15일 = 해설서 개정에 반발해 권철현 주일 대사 귀국

▲ 2009년 3월 9일 = 고등학교 개정 학습지도요령에 독도 영유권 주장 넣으려다 한국 정부 반발로 철회

▲ 2009년 12월 25일 = 일본 문부과학성 고교 지리·역사 새 학습지도요령 해설서에서 독도 영유권 입장 반영.

▲ 2010년 3월 30일 = 초등학교 교과서 검정결과 발표(5학년 사회 교과서 5종 모두 독도를 일본영토로 기술)

▲ 2011년 3월 30일 = 중학교 교과서 검정결과 발표(검정 통과한 교과서 17종 가운데 14종이 독도를 일본영토로 기술)

▲ 2012년 3월 27일 = 고교 1차 연도 사회과 교과서 검정결과 발표(검정 통과한 교과서 39종 가운데 21종이 독도를 일본영토로 기술)

▲ 2013년 3월 26일 = 고교 2차 연도 사회과 교과서 검정결과 발표(검정 통과한 교과서 21종 가운데 15종이 독도를 일본영토로 기술)

▲ 2014년 1월 17일 = 근현대사와 관련 정부의 통일된 견해를 기술하도록 하는 교과서 검정 기준 개정

▲ 2014년 1월 28일 = 중·고교 학습지도요령 해설서에 '독도는 일본 고유영토' 주장 명시

▲ 2014년 4월 4일 = '독도는 일본 고유영토', '한국이 불법으로 점령(점거)'이라는 내용을 담을 초등학교 5·6학년 사회 교과서 4종을 검정에서 합격 처리(검정을 통과한 교과서 전체가 독도를 일본 영토로 기술)

▲ 2015년 4월 6일 = 중학교 교과서 검정결과 발표. 지리, 공민(사회), 역사 교과서 18종 중 15종이 독도를 '일본 고유의 영토'로 표기, 13종이 '한국이 불법 점거'했다고 기재

▲ 2016년 3월 18일 = 고교 교과서 검정결과 발표. 심사를 통과한 고교 사회과 교과서 35종 가운데 27종(77.1%)에 "다케시마(竹島·일본이 주장하는 독도의 명칭)는 일본의 영토", "한국이 불법 점거하고 있다"는 표현이 실림

▲ 2017년 2월 14일 = 문부과학성, 독도와 센카쿠(尖閣·중국명 댜오위다오〈釣魚島〉)열도에 대해 '우리나라(일본) 고유의 영토'라고 처음 명기한 초중학교 사회과 신학습지도요령안 발표

▲ 2017년 3월 24일 = 고교 교과서 검정결과 발표. 검정을 통과한 고교 사회과 교과서 24종 중 19종(79.2%)에 독도가 일본 영토라는 주장이 실림. 지리(3종), 일본사(8종), 정치경제(7종), 현대사회(1종)는 전 교과서에 '다케시마(竹島·일본이 주장하는 독도의 명칭)는 일본의 고유 영토'라는 주장이 담김

▲ 2017년 3월 31일 = 문부과학성, 독도와 센카쿠(尖閣·중국명 댜오위다오〈釣魚島〉)열도가 '우리나라(일본) 고유의 영토'라는 내용 포함한 초중학교 사회과 신학습지도요령 확정.

7. 용기있는 사람들

독도에 대해 바른 말을 하는 일본의 양심 지식인은 1989년 53세로 타계하신 가지무라 히데키(전 가나가와대 교수), 시마네대학교의 나이토 세이추(內藤正中) 명예교수, 이케우치 사토시(池內敏, 나고야대 교수), 쓰다주쿠대 다카사키 소지(高岐宗司) 교수, 야마베 겐타로(山邊健太郎·1905~1977, 역사학자), 호리 가즈오(堀和生) 교토대 교수, 호사카 유지(保坂祐二, 세종대 교수, 한국귀화) 등이 있다. 이들 중 몇 사람을 자세히 알아본다.

1) 구보이 노리오 박사

평생 한일 역사를 연구해온 일본인 역사학자 구보이 노리오 박사가 2017년 8월 22일 부산 코모도호텔에서 저서 '독도의 진실' 한글판 출판기념회를

구보이 노리오(75) 박사는 2017년 8월 22일 부산 코모도호텔에서 저서 '독도의 진실' 한글판 출판기념회를 열고 일본 고지도 33점을 공개하였다. 이중 9점의 지도는 세상에 처음으로 공개된 것이었다.

열고 일본 고지도 33점을 공개하였다. 이중 9점의 지도는 세상에 처음으로 공개된 것이었다. 구보이 박사는 일본인 나가쿠보 세키스이가 1775년부터 총 5차례에 걸쳐 만든 일본여지노정전도 정규판에 대해 "4판까지 독도와 울릉도는 조선 반도와 같은 색깔로 돼 있고 일본과는 색깔이 다르다"며 "한 일본인이 1840년에 제작한 일본여지노정전도. 당시 한 일본인이 무단으로 울릉도에 건너간 사건 이후 제작된 5판 지도에서는 일본 영토에서 아예 독도와 울릉도를 빼버려 일본 영토가 아님을 스스로 증명한 것이라고 설명했다.

일본 외무성은 독도와 일본 영토의 색깔이 같은 일본여지노정전도의 모방판(해적판)을 홈페이지에 게재해 독도가 일본 땅이라고 주장하고 있다는 사실을 밝혔다. 지도 등의 사료는 반드시 원본이 우선이지, 출처가 불분명한 해적판을 기준으로 해석해서는 안 된다고 그는 일본의 오류를 분명히 지적했다. 이외에 조선다케시마도항시말기 지도, 삼국통람도설, 일본 메이지 정부가 작성한 공지도인 신개정 만국전도 등에서 독도는 당시 조선 땅과 같은 색으로 돼 있다는 사실에 주목해야 한다고 했다.

특히 '다케시마(울릉도) 외 하나의 섬(독도)은 일본과 관계가 없음을 명심할 것'이라는 지도 작성요령이 적힌 〈대일본전도〉는 메이지 정부가 처음 제작한 공식 영토지도인데 메이지 정부가 독도가 한국 영토임을 인정한 것이라고 밝혔다. 또 일본해는 일본 본토의 오른쪽 바다, 태평양과 맞닿은 해양이며 조선해는 동해라고 적은 에도 막부의 천문방(천체운행을 연구하는 기관)의 대일본연해요강전도도 공개했다.

하야시 시헤이가 제작한 〈삼국통람도설〉을 보면 중국과 일본이 영토 분쟁을 겪는 '센카쿠열'도 역시 중국 영토와 같은 색으로 일본 땅이 아니었으며, 일본 정부가 가장 싫어하는 지도 중 하나가 삼국통람도설이라고 말한다.

일본에서 역사 교사로 일하며 한일 역사를 공부한 구보이 박사는 도쿄, 오사카, 교토 등의 유명한 고서점 등지에서 고지도를 수집해왔다고 하며, 구보이 박사는 '역사의 진실을 추구하는 학자'라고 스스로 말하며, 그간 일본 정부를 비판해 일본 국민에게 항의를 받기도 했지만 '독도가 한국땅'이라는 사실을 왜곡할 수 없다며 양심선언을 한 일본인이다.

2) 야마베 겐타로

1965년 역사학자 야마베 겐타로(山辺健太朗, 1905~1977)는 논문으로 독도를 한국땅이라 주장한 일본인이다. 50여년전 한일수교협상이 막바지에 이르러 독도귀속 문제가 쟁점이 되었을 때 일본의 한 양심적인 지식인이 논문을 발표하였다.

도쿄에서 일본어로 발행되던 코리아 평전이란 시사월간지 1965년 2월호에 실린 〈독도문제의 역사적 고찰〉이란 논문에서 "독도문제는 1905년 일본의 영토편입이 정당한 것이었는가를 문제시하는데서 시작하지 않으면 안된다"며 일제가 1904년 한일의정서를 통해 대한제국정부 내에 '외교고문'을 신설해 사실상 외교권을 빼앗은 사실을 지적했다.

야마베씨는 또 논문에서 "일본이 폭력과 탐욕에 의해 독도를 약취한 것은 청일전쟁 이후 일관된 일본의 제국주의 정책을 보면 명백하다"고 했다.

야마베씨는 "독도문제는 1904년 이후의 문제로 그 이전 일은 문제가 되지 않는다"고 그 이전 고문서를 인용한 논란을 일축하고 편입 당시 역사적 배경에 주목할 것을 강조했다.

그는 노동운동가로 사상범으로 투옥되었으나 수감중 종전을 맞아 석방되었다. 전후 일본공산당 통제위원 등을 지냈으며 한반도 문제에도 관심이 깊었다. 그는 1964년《코리아평론》10월호에 〈민비사건에 대하여〉라는 논문을 발표하였고, 1966년 2월《일한병합소사》(日韓倂合小史)를 이와나미 (岩波書店)에서 발간했다. 여기에서 '사체 능욕'이라는 표현을 처음으로 썼고, '명성황후 능욕설'의 원조가 됐다.

3) 나이토 세이추

일본 독도 전문가 나이토 세이추 교수)는
약 20년을 독도는 일본의 고유 영토가 아
니라고 주장하였다. 그는 1968~1993년까
지 시마네(島根)대 교수를 지냈으며, 이후
시마네대 명예교수를 지내다 2012년에 타
계하였다.

나이토 세이추 교수

특히 2008년 일본 외무성이 펴낸 '다케
시마 10문 10답'을 비판하는 '다케시마=독
도 문제 입문'이라는 소책자를 만들었는데
그 책자에서는 일본 외무성의 독도 영유권
주장에 대해 "너무 심하다", "이는 일본 국
민을 기만하는 것이고 전 세계에 이를 배
포하는 것은 일본 정부의 미숙함을 드러내는 것"이라는 양심에 따른 말을
했다.

1905년 독도를 시마네현에 편입했다는 일본의 영유권 주장 근거에 대해
서는 "막부도 메이지 정부도 다케시마에 대해서는 영유를 주장한 바 없다.
특히 무주지(無住地)라고 말한 이상 고유 영토라고 말할 수는 없다."고 강
조했다.

또 그는 한국이 '독도는 우리 땅'이라고 하려면 일본이 1905년 독도를 편
입하기 전인 1900년에 대한제국이 내린 칙령 41호 속의 석도(石島)가 독도
라는 점을 증명해야 하지 않으면 논쟁이 계속될 것이라는 말을 했다.

4) 호사카 유지

일본인이었지만, 한국으로 귀화한 호사카 유지 교수는 도쿄에서 태어나 도쿄대 공학부를 졸업했다. 우연한 기회에 명성황후 시해사건에 대해 알게 되었고, 언젠가는 한국에서 공부하고 싶다는 마음을 갖게 되었으며 1988년에 한

호사카 유지 교수

일관계를 연구하기 위해 한국에 유학했하게 되었다. 그는 주로 조선 말기부터 일제 강점기까지를 연구하면서 "일본이 왜 침략국가가 되었는가?"에 대해 탐구해 왔다. 1990년대 말부터 일제 강점기의 잔재로 남아 있는 독도영유권문제를 연구하기 시작했고, 한일관계사를 분석해 객관적이고 치밀한 대응논리를 개발하고 하였다. 2003년에는 한국 체류 15년 만에 한국인으로 귀화했으며, 독도문제를 비롯해 역사교과서 왜곡문제 등 한일 양국의 총성 없는 전장에서 고군분투하고 있다. 그의 연구가 주목 받는 이유는 한일 양국의 역사를 철저하게 고증하고 분석해 어느 누구도 인정하지 않을 수 없도록 합리적으로 설득한다는 데 있다. 일본의 대응과 전략을 설명하면서 독도문제에 어떻게 접근해야 할지를 체계적으로 살피고 있다.

세종대학에 재직하면서 2009년 5월에 같은 학교에서 창립한 독도종합연구소 소장에 취임해 독도 연구를 심화시키는 일뿐만 독도에 관련한 많은 책을 저술하여 독도에 대한 정보를 공유하며 국민들에게 큰 호응을 얻고 있다.

제6장

독도를 지키는 길

독도는 논쟁의 여지가 없는 대한민국의 고유 영토인 사실이 다양한 역사적 사실과 한·일 양국의 공문서에 의해 증명되고 있고, 일본 스스로도 자기들 소유가 아님을 인정한 뚜렷한 역사적 선례가 있지만 역사적 사실을 왜곡하면서까지 독도 영유권 주장 억지를 계속해 오고 있다. 일본의 독도 무주지 선점론, 고유영토론과 국제법적 주장은 허무맹랑한 억지에 불과하지만 우리는 우리 땅 독도를 지키기 위하여 지속적인 사료 발굴과 치밀한 논리 개발을 게을리해서는 안 될 것이다. 독도를 지키기 위한 방법들을 알아본다.

1. 독도의 진실을 세계에 알린다

독도는 현재 대한민국이 실효 지배하고 있으며, 대한민국의 주민이 실제 거주하고 있는 곳이다. 그리고 이곳이 역사적, 지리적, 국제법적으로 대한민국의 영토라는 것은 누구나 잘 알고 있다. 그러나 일본외무성은 「독도(다케시마)문제를 이해하기 위한 10포인트」라는 주제를 10개 국어로 설명하고 있으며, 이를 바탕으로 일본문부과학성은 일본 역사교과서에 한국이 독도를 불법으로 점거하고 있다고 언급하고 있다. 그런데 그 근거가 도저히 납득할 수 없는 것들이다. 일본 외무성은 독도가 한국 영토임을 밝히는 일본 국가의 공문서인 공적 자료는 오히려 누락시키고, 대신 신뢰성과 객관성이 결여된 개인의 편지, 보고서 등 사적 자료를 주장의 근거로 삼고 있다. 따라서 이를 정당한 주장으로 받아들일 수 없음은 당연하다. 이와 같은 일본의 허위 주장을 우리가 간과한다면, 앞으로 자라나는 일본 학생들은 왜곡된 교과서로 역사를 배우게 될 것이다. 그런 그들이 한국에 대해서 어떤 생각을 할까 심히 걱정이 되며, 여기에 한일 관계의 심각성이 있다 하겠다. 이에 일관성과 신뢰성이 없는 자료에 근거한 일본외무성의 부당한 논리와 왜곡된 일본 역사교과서를 조속히 시정하기를 촉구한다. 나아가 과거 한일 역사에 대해 일본이 반성하고, 정확한 정보를 국민에게 제공하여 올바른 한일 관계를 유지하도록 노력해줄 것을 당부한다.

이러한 문제들의 심각성을 인식하여 대책을 세워 나가야 한다. 그렇게 하려면 먼저 전국민이 독도에 대한 지대한 관심과 공부로 독도가 왜 우리 영토인가를 숙지하여야하고 정부 민간단체 사회 기업체등 전 국민이 혼연 일체가 되어 독도 지키기에 앞장서야 한다. 그리고 외국에 대하여도 독도 한국영토 알리기에 힘써야 할 것이다.

독도가 왜 한국 땅인가는 이 책의 머리말부터 강조해온 사안이지만 국민이 읽지 않고 보지 않으면 아무 소용이 없다. 독도연구소, 외무부 기타 독도에 관한 자료들을 소개해보면 먼저 동북아 역사재단에서 제작한 일본의 독도 영유권 주장 반박 홍보자료가 있어 소개한다.

동북아역사재단은 재단 홈페이지(www.nahf.or.kr)에『일본이 모르는 10가지 독도의 진실』이라는 이름으로 일본의 독도영유권 주장에 반박하는 자료를 10개 국어로 제작해 올렸다.

이 홍보자료는 올해 일본의 이른바 다케시마의 날(2월 22일)에 맞추어 그들의 주장이 허구임을 국제사회에 알리기 위해 다국어로 번역, 제작하였다. 작년에 한글, 영어, 일본어판을 제작하여 배포한 것에 이어, 올해 7개 언어로 추가 제작하였다. 이번에 제작된 언어는 중국어, 프랑스어, 스페인어, 아랍어, 독일어, 러시아어, 포르투갈어 등 국제사회의 주요 7개 언어로 되어 있다.

〈독도의 진실〉 10개국판 〈동북아역사재단〉

『독도의 진실』 다국어판의 내용은 일본의 독도 영유권 주장을 10가지 항목으로 나누어, 그 주장이 왜 잘못되었는지 자료를 근거로 조목조목 반박하고 있다. 이 자료에는 한국, 일본, 연합국의 원문 사진 자료를 설명과 함께 게재하고 있다. 즉 「팔도총도」(1531년), 「대한제국 칙령 제41호」(1900년) 등 한국의 고지도와 고문헌 뿐만 아니라, 독도를 한국의 영토로 인정한 과거 일본 정부의 문서인 「조선국교제시말내탐서(朝鮮國交際始末內探書)」(1870년), 「태정관 지령(太政官指令)」(1877년) 등의 일본 자료, 제2차 세계대전 이후 연합국 최고사령부에서 독도를 한국의 영토로 표시한 SCAPIN 677호(1946년) 및 관련지도 등이다.

아울러, 1905년 일본의 소위 '독도 영토편입'에 근거한 주장이 왜 잘못되었는지, 그리고 일본의 국제사법재판소(ICJ) 회부 제의를 왜 한국이 거부하며 비판하고 있는지 등을 간단 명료하게 설명한다. 이를 통해 일본의 독도에 대한 잘못된 주장을 반박하고, 독도가 대한민국의 영토임을 명확하게 확인할 수 있을 것이다.

日本不知道的十项
独岛的真相

동북아역사재단은 재단 홈페이지(www.nahf.or.kr)에 『일본이 모르는 10가지 독도의 진실』이라는 이름으로 일본의 독도영유권 주장에 반박하는 자료를 10개 국어로 제작해 올렸다.

2. 독도의 실제 점유를 강화한다

현재 독도에 실제 거주하는 주민은 김성도씨 1가구뿐이다. 제대로 실효적 지배를 하기 위해서는 최소 3가구 이상이 거주하면서 생업활동을 해야 한다는 게 관계자들의 주장이다. 경상북도의회 독도수호특별위원회는 2014년도 독도 관련 업무보고에서 일본의 독도침탈 야욕을 분쇄하기 위해서는 실거주자를 증대해야 한다고 밝혔다.

정부는 독도의 실효적 지배를 위한 조치로 독도 접안 시설과 헬기장·경비행장의 확충, 민간인 거주 확대, 독도 방문과 여행 확대, 군 주둔 등의 방안들을 거론하고 있다.

독도 관련 전문가들의 독도의 실효적 지배를 위한 다양한 방안들을 보면, 대구대 최철영 교수는 "국제법상 실효적 지배의 핵심 쟁점'이라는 논제에서, 독도 인근 수역에서 민간인이 국가를 위해 행한 행위를 인정하는 공적 기록문서, 정부차원의 인허가 기록과 독도에서의 경제 문화적 활동, 독도주변 해양환경보호를 위한 정부 및 공공기관의 활동 등 다양한 실효적 지배 행위를 지속한다면 국제사회에서 독도에 대한 우리의 영유권이 보다 확고해질 것"이라고 말했다.

부경대학교 김채형 교수는 국제사법재판소(ICJ)의 실효적 지배 관련 주요 판례와 시사점'이라는 논제에서, 국제재판에서 더 강력한 증거를 제시하는 국가가 분쟁 영토에 대한 권원을 가지는 것으로 판결됐다면서, 1905년 이전 시점에 한국이 독도를 실효적으로 지배하고 있었다는 사실을 증명할 수 있는 공적인 문서 발굴이 중요하다고 말했다.

창원대학교 김명용 교수는 '독도의 실효적 지배 강화를 위한 정책 대안'

으로 독도관련 법제를 정비하는 것이 시급하며 독도 해역의 해양생태조사, 해양관광, 해양안전접안시설 설치 등독도와 그 주변에 법적 행위가 이뤄져야 할 것이라고 했다.

독도 상륙 기도는 이 섬에 대한 한국의 실효적 지배를 흔들어 동북아시아 지역의 현안으로 부각시키려는 데 주된 목적이 있다. 2005년 남북한 양측에서 독도우표가 발행되고 시민단체를 중심으로 독도해상국립공원 지정 움직임이 가시화하자, 일본의 우익단체들이 자국민을 각성시키려고 행동에 나서고 있다는 분석도 나오고 있다.

중앙대 국제법 제성호 교수에 따르면 우선 해상공원 지정, 인공 섬 건설, 관광 개방, 영해 침범 선박 단속 등 독도에 대한 실효적 지배를 강화해 나가야 하며. 수년 전부터 일본 자위대는 비밀리에 독도탈환 작전(군사연습)을 실시하고 있는데, 그에 대한 철저한 대비책을 마련해 둬야 한다. 한일어업협정의 재개정도 적극 고려해야 한다. 더불어 독도 영유권을 뒷받침하는 법적 논리 개발과 역사적 증거 수집에 배전의 노력을 기울여야 한다고 했다.

국제법상 영토취득의 요건인 '선점(occupation)'으로 변용되었다. 국제법에서 국가가 무주지역을 새로이 발견하거나 그 이전에 이를 통제하던 국가에 의해 포기된 지역을 다른 국가보다 먼저 실효적 점유에 의해 자국의 영역으로 취득하는 것을 뜻한다. 국제법상 하자 없는 선점을 충족시키기 위해서는 3가지 요건을 구비해야 한다.

첫째, 선점의 대상이 되는 지역은 '무주의 지역'이어야 하며, 일반적으로 무주지(無主地 : terranulius)를 선점함에 있어서는 그 것이 무주(無主)이기 때문에 어떤 대항요건의 주체가 존재하지 않는 것이 보통의 경우이며 따라서 선점의 의사로 점유하였음을 특별히 통고할 상대가 없는 것이 보통이

독도를 탐방하는 대한민국 국민들

라고 보아야 한다.

그러므로 독도는 고래부터 한국의 영토였으며, 일본인들조차도 한국의 영토로 인정하고 있었기 때문에 무주지로 볼 수 없다. 이는 확실한 사실이므로 한국의 독립과 더불어 독도에 대한 이른바 일본의 선점효과는 부인되어야 한다.

둘째, 선점하는 국가의 영역취득의사가 존재하고 또 그 의사가 대외적으로 표시됨을 요한다. 독도는 이승만라인 선포에 따라, 국가의 영역취득의사가 대외적으로 표시되었다.

셋째, 실효적인 지배를 계속해야 한다. 독도는 한일기본조약 체결에 따라 이승만라인 선포에 따라, 국가의 영역취득의사가 대외적으로 표시되었다.

오늘날 아시아·아프리카 여러 나라들이 영토취득의 방식인 선점에 대한 문제점을 지적하고 있음. 그 요지는 근세 초기 식민지시대에 스페인, 포르투갈에 의하여 주장된 '발견우선의 원칙'을 배제하는 것이다.

실효적 지배의 원칙은 주권행사 내지 표시가 평화적일 것, 실제적일 것, 주권에 대하여 유효한 권원을 부여하기에 충분한 것일 것, 계속적일 것 등의 요건을 충족하여야 한다.

3. 독도에 머물 수 있는 환경 조성

독도에는 현재 실효적 지배 강화를 위한 14개 프로젝트들이 추진되고 있다. 이는 지난 2005년 5월 지속가능한 이용을 통한 독도의 실효적 지배 강화'를 기본목표로 하고 있는 '독도의 지속가능한 이용에 관한 법률'(이하 독도법)을 근거로 하고 있다. 지난 2006년 이후 독도 자연생태계 모니터링 및 정밀검사, 어업인 숙소 유지 관리 등 11개 사업이 지속적으로 이어지고 있으며, 올해 신규로 독도관리 현장사무소 설치, 도고도 바다사자 복원사업, 서도 동굴파도충격 완화시설 등 3개 사업이 추진되고 있다. 이들 프로젝트 가운데 눈에 띄는 것은 높은 파도가 치는 등 악천후 속에서도 출항이 가능하고 독도에 오랫동안 머물 수 있도록 160톤급 이상으로 '독도관리선'을 건조해 독도 접근성을 높이는 사업이다.

사업 추진 결과 2009. 7. 4. 독도평화호가 독도 첫 입항하였다. 160톤급 이상 독도관리

독도평화호

선이 투입되었으므로, 관광객 편의 제고는 물론 행정관리 강화로 실효적 지배가 강화될 것으로 기대된다. 평화호는 경북울릉도~독도를 운항하며 독도행정업무와 주민생활지원 등의 임무를 수행하고 있다.

4. 생태계 보호에 힘쓴다

독도의 다양한 해양생물들은 어디에서 왔으며, 어떻게 적응해 살고 있을까. 해양생물이 살아가는 데는 수온의 변화가 중요한 영향을 미친다. 해양에서 수온 분포는 계절에 따른 기온변화는 물론 해류의 영향을 지배적으로 받는다. 해류는 생물이 이동하는 동력을 제공할 뿐만 아니라 산란한 생물의 알이나 포자를 멀리까지 확산시켜주는 역할을 한다. 독도에 정착한 대부분의 해양생물들도 최초에는 해류에 따라 이동해 왔을 것이다.

낫돌고래 이외의 해양포유동물은 번식지나 계절적 이동경로로의 이용을 위해 독도에 서식하지 않는 것으로 확인되었고, 바다사자, 물개 등은 현재 서식하지 않는 것으로 나타났다. 바다사자 등이 서식하지 않는 이유로는 과거 1960년대에는 존재하지 않았던 독도경비대가 상주하고 있고, 여름철 관광객의 출입이 증가하고 있으며, 매일 4~5척의 어선이 어업활동을 하고 있고, 마을공동어장으로 이용되고 있기 때문이다.

독도는 육지로부터 멀리 떨어져 있을 뿐만 아니라 난류와 한류가 만나는 경계면에 위치하는 지정학적 특성으로 인해 동해 연안이나 울릉도와 다른 독특한 해양생태계를 구성하고 있다. 과거 동해바다 모습을 그대로 간직한 청정함과 건강성을 유지하고 있어 독도를 말할 때는 '황금어장', '생물다양성의 보고'라는 최고의 수식어가 따라붙는다.

지리적 기원을 달리하는 난류와 한류에서 각각 살아가는 생물이 독도라는 좁은 공간에 공존하는 것은 높은 생물다양성의 근원이 되고 있다. 이렇듯 수많은 생명을 품은 독도 바다의 능력은 어디에서부터 오는 것일까?

그 첫 번째 실마리는 독도의 터줏대감인 건강한 해조군락에서 찾을 수 있다. 모자반, 다시마, 대황, 감태 등 대형 갈조류가 일 년 내내 섬 주변을 따라

독도의 해양생물들_ 왼쪽 위부터 시계방향으로 꽃갯지렁이, 돌돔, 문어다리불가사리, 왜문, 부채뿔산호, 비늘베도라치, 흰갯민숭달팽이.

풍부한 해조 숲을 이룬다. 이러한 해조 숲은 연안 생태계에 안정된 먹이사슬을 유지하도록 하는 가장 기본이 되는 구조다. 동시에 다른 생물에게 서식처, 산란장, 은신처도 제공해 준다.

수심 30~40m 공간에는 해저 지형 구조가 달라진다. 육지에서부터 깎아지듯 떨어지던 경사가 완만해지고 곳곳에 산재하던 수 미터 크기의 암반들도 거의 사라진다. 이 부근에는 해조류가 서식하는 양이 급격히 줄어들고 히드라, 말미잘, 불가사리가 그 곳을 차지한다. 수심 50m 이상 깊은 지역은 자갈과 모래로 구성된 넓은 평원이다. 이곳은 꽃갯지렁이와 같이 퇴적물에 몸을 묻고 서식하는 생물의 출현빈도가 높다. 바다 밑바닥에 사는 다른 저서동물에 비해 상대적으로 찬물을 좋아하는 북방형의 대형 불가사리와 해삼들은 수온을 따라 수직 이동해 이 해저평원에서 여름을 보낸다.

생물 지리학적 관점에서 독도는 다양한 변수들이 존재하는 흥미진진한 연구주제다. 최근 제주연안 정도에서 관찰되던 파랑돔 등 남방성 어류들의 월동이 관찰되는 등 지구온난화에 따른 해수온 상승의 여파가 독도에서도 감지되고 있다. 독도에 대한 관심이 찰나로 끝나는 것이 아니라 독도의 자연 생태계를 유지하고 보호하려는 노력으로 이어지길 바란다.

독도박물관 [獨島博物館, Dokdo Museum]

■ 독도박물관

설립일 : 1997년 08월 08일

소재지 : 경상북도 울릉군 울릉읍 도동리 581-1번지

규　모 : 대지 8,068㎡, 연면적 1,600㎡

　한국 유일의 영토박물관으로, 1995년 광복 50주년을 맞아 경상북도 울
릉군이 대지를 제공하고 삼성문화재단이 건물을 건축하여 기증하였으며,
1997년 8월 8일 개관하였다. 초대 관장이자 서지학자(書誌學者)인 이종학
(李鍾學)이 약 30년간 수집하여 기증한 자료와, 1953년 4월 20일부터 3년
8개월 동안 목숨을 걸고 독도를 사수한 독도의용수비대 홍순칠 대장의 유
품, 독도의용수비대 동지회와 푸른독도 가꾸기모임 등의 자료를 소장·전시
하고 있다.

설립 목적은 독도 및 조선해(동해)를 둘러싼 관련자료를 발굴·수집·연구하며, 그 결과를 바탕으로 전시·관리·교육·홍보함으로써, 일본의 독도영유권 주장을 반박할 수 있는 자료와 이론의 토대를 구축하는 동시에 국민의 영토의식과 민족의식을 고취시키기 위함이다.

약수공원 안에 자리잡고 있으며, 독도의 옛 이름인 삼봉도(三峰島)의 이미지를 살려 3개의 큰 바위 모양에 동해의 일출을 형상화하여 건축하였다. 대지 8,068㎡, 연면적 1,600㎡에 지하 1층과 지상 2층 규모로, 지상 1층에 3개 전시실(제1·2상설전시실, 기획전시실)·중앙홀, 2층에 1개 전시실(제3상설전시실)·자연생태영상실·독도전망로비 등이 있다.

상설전시와 특별전시로 구별되는 전시의 주제는 '독도와 관련된 역사를 개관하고 일본의 독도영유권 주장과 일본해 명칭 주장이 갖는 허구성을 폭로하며, 이에 대해 체계적인 반박을 하는 것'으로 삼고 있다.

제1전시실에서는 독도가 우리 영토로 표기되어 있는 한국과 일본 및 제3국의 지도와 전적들, 제2전시실에서는 청일전쟁 이후의 지도·전적류, 제3전시실에서는 독도의용수비대와 '푸른울릉독도가꾸기모임'의 활동상을 중심으로 전시한다.

전시활동 외에 《한일어업관계조사자료》(2001), 《잊혀진 조선해와 조선해협》(2002) 등 학술지를 간행하고, '독도를 둘러싼 바다에 대한 한일간의 시각' 같은 학술발표회를 개최하였다.

관람시간은 오전 9시~오후 6시(동·절기 오후 5시)이고, 1월 1일, 설날, 추석연휴에는 휴관한다. 경상북도 울릉군 울릉읍 도동리에 있다.

독도 박물관 홈페이지: http://www.dokdomuseum.go.kr/

5. 온 국민에게 독도교육

일본의 역사교과서를 살펴보면 꽤 자세하고 구체적으로 독도가 일본땅이라는 주장을 펼치고 있다. 이런 교육을 받고 자란 학생들은 당연히 독도가 일본 땅이라고 생각하며 독도를 되찾아오려는 시도를 끊임없이 계속 할 것이다. 우리나라의 학생들 역시 '독도는 당연히 우리 땅'이라는 의식을 넘어 그들의 주장에 반박할 수 있는 역사적 사실과 정확한 근거를 배워야 한다.

2012년 3월부터 전국 모든 초중고교에서 다양하고 내실있는 독도교육이 이루어지도록 독도학습 교재가 보급되고 연간 10시간 내외의 독도교육이 이루어질 수 있도록 한다는 교과부의 발표가 있었다.

앞으로 독도교육이 더욱 견고하게 진행될 것이라 기대해본다.

또 재미있고 알기 쉬운 내용으로 구성된 '독도 영상 다큐'를 제작하여 DVD에 담아 전국 모든 학교 및 재외 교육기관에 보급하였다고 한다.

1) 체험활동을 통한 다양한 경험

단지 수업시간에 책과 동영상으로 배우는 교육을 떠나 독도 직접 탐방, 동아리 활동 등을 통해 더 다양한 체험을 하고 이로 인해 국토사랑의 마음을 키우며 독도교육 실천의 기회를 확대해야 하며,

교과부는 체험 중심의 독도교육이 가능하도록 생활 주변에서 독도사랑을 실천하는 국내·외 '독도지킴이 거점학교' 65교를 선정하였다.

이밖에도 학생들이 스스로 동아리를 만들고 독창적이 아이디어를 개발하여 더 적극적인 활동을 하도록 학교와 교과부에서 꾸준히 지원해준다면

일본의 어떤 도발에도 대응할 수 있는 정신적 무장을 할 수 있을 것이다.

2) 온라인·모바일을 통해 쉽게 정보 접하게 해야 한다

'동북아역사재단', '독도연구소'에는 독도와 관련된 많은 자료가 있고 누구나 쉽게 이해할 수 있도록 설명이 잘 되어 있다.

'외교통상부 독도'에는 10개의 언어로 독도에 대한 지리적 인식과 역사적 근거를 설명하고 있으며 우리나라 뿐만 아니라 외국사람들에게도 적극적인 홍보가 필요하다.

교과부에서는 교원의 독도 학습에 대한 지도 능력을 기르기 위해 교원대상 '찾아가는 사이버 독도 교실' 온라인 연수를 실시하고 있으니 학교 수업에서 더 체계적인 독도 교육이 이루어질 수 있을 것이다.

또 모바일에서도 독도 관련 정보를 쉽게 접할 수 있다.

'아침을 여는 섬 독도'는 인터렉션(interaction)이 가능한 스마트폰 어플리케이션으로서 상하좌우 이동, 동영상 감상과 애니메이션, 파노라마 등의 기능을 포함하고 있어 독도에 대하여 더욱 쉽고 재미있게 이해할 수 있다. 또한 앱스토어에 '독도'라고 검색을 하면 독도에 관한 더 다양한 어플리케이션을 찾을 수 있다. 학생들이 톡톡 튀는 기발한 생각을 모아 앱을 개발해보면 좋은 아이디어가 나올 것이다.

3) 독도 전시회 개최

학생들에게 독도교육을 강화하는 것도 중요하지만, 부모님 세대나 다른 가족 구성원들에게도 독도사랑의 마음을 함께 확산시킬 필요가 있다.

다양한 연령대의 사람들이 흥미를 가지고 친근하게 다가갈 수 있도록 전

〈찾아가는 독도전시회〉
2017. 4월 용산역 광장

국 곳곳에서 독도 전시회를 열어 더 많은 사람들이 독도가 우리 땅인 이유를 정확히 알게 해야 한다. 해마다 독도전시회가 열리고 있다. '아침을 여는 섬, 우리 땅 독도의 이야기 展'이 4월 3일부터 12월 9일까지 전국에서 순차적으로 열리니 늘어난 토요 휴업일을 이용해 온가족이 함께 전시회를 찾는 것도 의미있는 경험이 될 것이다.

'찾아가는 독도전시회'는 지난 2013년부터 농·산·어촌 지역의 학생과 일반인을 대상으로 실시한 독도교육 현장 맞춤형 전시회이다. 올해 전시회의 특징은 지역 독도교육의 거점역할을 수행할 수 있는 교육지원청을 대상으로 설치·운영한다는 점에서, 지난해 단위학교 중심의 전시회와는 차이가 있다.

'찾아가는 독도전시회'는 독도가 영원한 우리 땅임을 한 자리에서 알 수 있도록 구성된다. 독도 관련 역사 속 지도와 문헌, 일본의 역사왜곡 교과서 등 전시물 관람을 통해 독도가 역사적·지리적·국제법적으로 우리 영토임을 논리적으로 정립하고, 일본의 부당한 독도영유권 주장의 실상을 인식하는 계기가 될 것으로 보인다.

6. 독도수호와 관리

1895년 울릉도에 도장. 도감을 임명해 파견했다.

1900년 고종칙령을 발표, 울릉도를 울도군으로 정하고 그 관할구역을 울릉도 전체와 죽도, 독도로 규정해 독도를 공식적으로 우리 영토에 포함시켰다.

독도는, 17~18세기 초에 강원도 울진군에 속했으나 1906년에는 경상남도로 편입되었다가 그 후 1914.3.10, 경상북도로 편제되었다.

1947.4, 일본인들의 독도 불법점거 및 한국인 어업금지 총격사건이 발생했고, 경북은 이 사건을 1947.6.19에 정부에 보고했다.

1952년 이승만이 대통령령 '대한민국 인접해양의 주권에 대한 대통령의 선언'을 공표 독도를 영토로 포함 선언

1953.7.10, 경북 의회는, 일본의 독도 침탈 규탄 결의문을 채택

1954년엔 영토표석을 건립하고,

1956년 우리나라는 독도에 경비대를 상주

1981년에는 제4차 학술 조사 연구 '울릉도 및 독도 종합 학술조사 보고서'를 펴냈다.

1996년 4월29일에는 '한국자생식물협회'에서 독도의 토양과 기후에 알맞은 꽃과 나무 식목사업전개

1997.8.8, 독도박물관을 개관

1998.11.23, 〈울릉도.독도종합연구〉를 발간

1999.3.26, 경북은 독도 정주여건조성사업지 지원과 일본인의 독도 호적 등재 사실의 확인 및 중앙정부 차원의 대책수립을 외교부에 건의

2000년 울릉군 의회는 도동리를 독도리로 신설하고 이 조례를 가결

2002년에 〈사이버독도〉 이름으로 홈페이지를 구축

1) 독도 전담부서 설치

2005.3.15, 일본의 시마네현에서 소위 〈죽도의 날〈을 제정하여 일본의 독도영유권주장을 노골화하자 경상북도는 시마네현과 자매결연을 파기하고 단교를 선언하고, 자치행정과에 독도 전담 부서인 독도지킴이팀을 신설하여 동년 4.20에 울릉군 독도관리사무소를 설치

2008.7.17, 과 단위로 조직을 확대 개편

2006.11.2, 독도 거주 민간인지원 조례 제정

2007.1의 시행,

2) 독도영유권 공고화 사업추진

2009년 독도 사랑보존회 발족

2010년 한국방송공사 독도 보존 발족

2009~2013에 걸친 독도종합해양과학기지건설의 추진

2009~2015에 걸친 독도입도지원센터 추진

2009~2020에 이르는 독도방파제건설을 추진

3) 독도의 홍보와 교육 및 탐방활동

독도의 홍보자료를 소책자 등으로 배부하고, 만화와 DVD로 제작하여 국내외에 홍보하고 있으며, 반크에 위탁하여 사이버 독도사관학교를 운영하고 있다. 또 홍보대사 양성, 독도탐방활동 지원 등의 활동을 국내는 물론 해외에까지도 활발하게 전개하고 있다.

7. 외무부의 입장

독도가 우리 땅이라는 정부의 입장은 너무나도 확고하다. 독도는 역사적 · 지리적 · 국제법적 근거에 따른 명백한 우리 고유영토임은 새삼 논할 필요조차 없는 일이다.

1) 독도에 대한 지리적 인식

지리적으로 독도는 우리 동해상에 울릉도로부터 87.4km 떨어져 있는 아름다운 섬이다. 일찍이 조선 초기에 관찬된『세종실록』지리지(1432년)에서는 "우산(독도)·무릉(울릉)… 두 섬은 서로 멀리 떨어져 있지 않아 풍일이 청명하면 바라볼 수 있다"고 하였다. 이를 증명하듯, 울릉도에서 날씨가 맑은 날에만 육안으로 보이는 섬은 독도가 유일하며, 울릉도 주민들은 자연스럽게 울릉도의 부속도서로서 독도를 인식하고 있었다.

2) 우리 옛 문헌 속의 독도

최근의 조사결과에 의하면, 울릉도는 선사시대부터 사람들이 살고 있었다는 가능성이 높아지고 있지만, 문헌에 등장하는 것은 6세기 초엽(512년) 신라가 우산국을 복속시키면서부터였다. 이 우산국의 판도를『세종실록』지리지(1432년)에서 무릉도(울릉도)와 우산도(독도)라고 하였는데, 그 뒤의 주요 관찬문헌인『고려사』지리지(1451년),『신증동국여지승람』(1530년),『동국문헌비고』(1770년),『만기요람』(1808년),『증보문헌비고』(1908년) 등에도 독도의 옛 지명인 우산도를 적고 있어, 그 지명이 20세기 초엽까지 계속되는 것을 알 수 있다. 이러한 점에서 볼 때 독도는 지속적으로 우리 영토에 속했음을 분명하게 알 수 있다.

3) 일본 에도·메이지 시대의 독도 소속에 대한 기본인식

안용복의 일본 피랍(1693년)으로 촉발된 조선과 일본 간의 영유권 교섭결과, 울릉도 도해금지령(1696년)이 내려짐으로써 독도 소속문제가 매듭지어졌다. 또한 일본 메이지(明治)시대에 들어와서 일본의 최고 국가기관인 태정관(太政官)에서는 시마네현(島根縣)의 지적(地籍)편찬과 관련하여 내무성(內務省)의 건의를 받아 죽도(竹島) 외 일도(一島), 즉 울릉도와 독도가 일본과 관계없다는 것을 명심하라는 지령(1877년)을 내렸다. 이러한 것들은 일본에서도 독도가 일본의 영토가 아니었음을 보여주는 명백한 증거들이다.

4) 대한제국의 독도에 대한 확고한 인식과 통치

20세기에 들어와 대한제국은 광무 4년 「칙령 제41호」(1900년)로 울도군 관할구역에 석도(石島), 즉 독도를 포함시키는 행정조치를 통해 이 섬이 우리 영토임을 확고히 하였다. 1906년 울도(울릉도) 군수 심흥택은 일본 시마네현 관민으로 구성된 조사단으로부터 독도가 일본령으로 편입되었다는 사실을 알게 되자, 즉시 강원도 관찰사에게 "본군(本郡) 소속 독도가…"라고 하면서 보고서를 올렸다. 이는 「칙령 제41호」(1900년)에 근거하여 독도를 정확하게 통치의 범위내로 인식하며 관리하고 있었다는 증거이다. 한편, 이 보고를 받은 당시 국가최고기관인 의정부에서는 일본의 독도 영토 편입이 '사실 무근'이므로 재조사하라는 「지령 제3호」(1906년)를 내림으로써, 당시 대한제국이 독도를 영토로서 확고하게 인식하여 통치하고 있었음을 잘 말해주고 있다.

5) 일본의 불법적인 독도 영토 편입

그럼에도 불구하고, 일본은 1890년대부터 시작된 동북아에 대한 제국주의 침략 과정에서 발생한 러·일전쟁(1904-1905) 시기에 무주지 선점 법리에 근거하여 「시마네현 고시 제40호」(1905)로 독도를 침탈했다. 이러한 일본의 행위는 고대부터 대한제국에 이르기까지 오랜 기간 동안 확립하여 온 독도에 대한 확고한 영유권을 침해하였다는 점에서, 어떠한 이유에서도 정당화될 수 없는 불법이며, 국제법적으로 아무런 효력이 없는 행위이다.

6) 제2차 세계대전 이후 대한민국의 독도 영유권 재확인

1945년 제2차 세계대전의 종전과 더불어, 일본은 폭력과 탐욕에 의해 약취한 모든 지역으로부터 축출되어야 한다는 카이로선언(1943)에 따라 우리 고유 영토인 독도는 당연히 대한민국 영토가 되었다. 아울러 연합국의 전시점령 통치시기에도 SCAPIN 제677호에 따라 독도는 일본의 통치·행정 범위에서 제외된 바 있으며, 샌프란시스코 강화조약(1951)은 이러한 사항을 재확인하였다. 이후 우리는 현재까지 독도를 실효적으로 점유하고 있다.

이러한 사실에 비추어 볼 때, 독도에 대하여 역사적, 지리적, 국제법적으로 확립된 우리의 영유권은 현재에 이르기까지 중단 없이 이어지고 있다.

대한민국 정부는 우리의 고유영토인 독도에 대해 분쟁은 존재하지 않으며, 어느 국가와의 외교 교섭이나 사법적 해결의 대상이 될 수 없다는 확고한 입장을 가지고 있다. 향후 정부는 독도에 대한 대한민국의 영유권을 부정하는 모든 주장에 대해 단호하고 엄중히 대응하면서도, 국제사회에서 납득할 수 있는 냉철하고 효과적인 방안에 의존하는 "차분하고 단호한 외교"를 전개해 나갈 것이다.

부록

1. 문답으로 풀어본 일본의 주장과 답

일본이 독도를 자기네 영토라고 주장하는 내용에 대하여 문답식으로 풀어보았다.

1) 일본은 예전부터 독도의 존재를 인식하고 있었다.

일본이 자국의 영토로 주장하는 근거인 1779년 개정일본여지노정전도는 개인이 만든 사찬지도로 초판에서는 오히려 일본 영역 밖의 섬으로 인식하고 있다. 더군다나 1870년 조선국교제시말내탐서, 1876년 조선동해안도 등에선 이미 독도를 대한민국의 영토로 인정하고 있다.

2) 한국이 예전부터 독도를 인식하고 있었다는 근거는 없다는 일본 주장

1454년 세종실록 지리지, 1530년 신증동국여지승람, 1770년 동국문헌비고, 1808년 만기요람, 1908년 증보문헌비고에는 울릉도와 독도를 구별하고 있으며 대한민국의 영토임을 명확히 표기하고 있다.

3) 일본은 17세기 중엽에 독도의 영유권을 확립했다

일본은 독도를 자국의 영토로 주장하는 근거로 1618년 에도시대 초기 울릉도 근방의 도해면허를 받은 기록을 제시하고 있으나 오히려 도해면허는 자국 섬으로 도해하는 데는 필요가 없는 것으로 오히려 일본이 자국의 영토로 인식하지 않았다는 증거이다.

4) 독도 도해 금지령

(일본의 주장) 일본은 17세기말 울릉도 도해를 금지했지만, 독도 도해는 금지하지 않았다.

이는 일본 자료인 오야 가문의 문서에 기록된 1659년 죽도 (울릉도) 근변의 송도 (독도) , 1660년 죽도내의 송도 등의 기록을 살펴보면 독도를 울릉도의 부속도서로 간주하고 있다. 당연히 울릉도 도해금지에는 독도 도해금지도 포함된다. 그리고 애초에 정박장 정도밖에 되지 않는 독도의 도해면허라는 개념은 존재하지도 않았다.

5) 안용복의 진술내용은 신빙성이 없다

일본 측의 일방적인 주장일 뿐 조선의 비변사에서도 철저한 조사가 이루어졌다. 또한 일본에 자료가 없다하여 조선의 기록이 신빙성이 없다고 하는 것은 부당하다.

6) 1905년 시마네현의 독도 편입은 영유의사의 재확인이었다.

1905년 당시 일본의 독도편입 근거는 무주지선점론 이었다. 그런데 그것이 1950년 이후 영유의사 재확인으로 바뀌었다. 자국의 영토라 주장하면서 무주지선점이라는 것은 상호 모순된 주장이다. 거기에 1877년 일본 최고 행정기관인 태정관이 울릉도와 독도는 일본과 관계없다고 한 사실이 있다.

7) 샌프란시스코 강화조약 기초과정에서 미국은 독도가 일본의 관할 하에 있다는 의견이었다.

1949년 11월 이전까지의 샌프란시스코 강화조약 기초문서에서는 미국은 독도를 한국의 영토로 인식하고 있다. 그 이후 일본의 대미 로비로 일본이 포기해야할 영토에 독도가 명시되지는 않았으나 독도보다 더 크고 많은 대한민국의 무수한 섬 역시 적시되지는 않았다. 이걸 가지고 일본의 영토라고 하는 것은 무리가 있다. 그리고 1951년 일본정부는 샌프란시스코 강화조약에 근거하여 일본영역을 표시한 일본영역도를 자국 중의원에 제출하였는데 여기엔 독도가 일본의 영토에서 제외되어 있다.

8) 주일 미군의 독도 폭격훈련구역 지정은 일본의 독도영유권을 인정한 증거다.

1952년 당시 독도는 한국어민들의 주요 어로활동 구역이었음에도 불구하고 일본은 독도를 미군의 폭격훈련구역으로 지정하고 폭격훈련을 하도록 유도했다. 이 때문에 한국 어민들에게 많은 피해를 주었으며 이러한 사실은 일본의회 발언에서도 확인할 수 있다.

9) 한국은 현재 독도를 불법으로 점거하고 있다.

위의 반박 근거를 통해 1905년 시마네현이 독도를 편입하기 이전부터 독도에 대한 영유권을 확립하였고 1948년 이후 경상북도 울릉군 남면 도동리 1번지로 주소를 부여하고 정당하게 주권을 행사해왔다. 일본의 주장은 우리를 위협하는 일방적인 행위일 뿐이다.

10) 독도의 영유권 문제는 국제사법제판소에서 해결되어야 한다. 독도는 현재 명백한 한국의 영토로서 국제사법제판소에 회부될 필요가 없다.

일본에게 러일전쟁 중 침탈당한적은 있으나 광복이후엔 명백히 대한민국의 영토로서 국제사법제판소에 회부될 이유가 없다.

일본은 러시아, 중국과의 영토분쟁에서는 국제사법제판소의 회부를 거부하면서도 유독 독도에 대해서만 국제사법제판소에 회부하려고 한다.

위와 같은 명백한 사실로 일본정부는 독도에 대한 말도 안 되는 영토주장을 거두어야 한다.

2. 독도가 한국땅인 증거 요약

1) 독도, 서기 512년부터 한국영토

독도는 서기 512년(신라 지증왕 13년)에 우산국(于山國)이 신라에 병합될 때부터 한국의 고유영토가 되었다.

2) 프랑스 지리학자 당빌의 『조선왕국전도』, 독도를 한국 영토로 표시

서기 1737년, 프랑스의 유명한 지리학자 당빌(D'Anville)이 그린 『조선왕국전도』에도 독도(우산도)가 조선왕국 영토로 그려져 있다.

3) 일본 고문헌과 일본 고지도, 독도를 한국 영토로 기록

1667년의 일본 관찬 고문헌 『은주시청합기』에도 울릉도와 독도옆에 '조선의 것'이라고 글자를 써 넣었다.

4) 17세기 말 일본정부, 독도·울릉도를 한국 영토로 재확인

1696년 일본정부는 일본 어부들의 울릉도(및 독도) 고기잡이를 엄금했다.

5) 19세기 일본 메이지 정부 공문서, 독도·울릉도를 한국 영토로 확인

일본 외무성의 『일본외교문서』에는 '울릉도와 독도가 조선부속으로 되어있다'라는 실증자료가 수록되어 있다.

6) 일본 내무성, 독도·울릉도를 한국 영토로 재확인

일본내무성은 시마네현에 울릉도와 독도는 조선 영토이고 일본과는 관계없는 땅임이라고 결정하였다.

7) 일본 최고국가기관(태정관), 독도·울릉도를 한국 영토로 결정

일본 태정관 또한, '울릉도와 독도는 일본과 관계없다는 것을 심득(心得, 마음에 익힐 것)할 것'이라는 훈령을 내무성에 내려 보냈다.

8) 19세기말 대한제국 정부, 독도·울릉도를 한국 영토로 정확히 표시

갑오개혁 후 작성된 근대적 한국 지도에서는 울릉도와 독도를 정확한 위치에 표시하고 한국 영토임을 명백히 하였다.

9) 1900년 대한제국 칙령 제41호, 독도를 한국 영토로 세계에 공표

대한제국은 1900년, 독도가 대한제국 영토임을 세계에 공표하였고, 서양 사람들은 독도를 '리앙쿠르 바위섬' 이라고 호칭하였다.

10) 일본, 1905년 독도 강제 편입

일본은 1905년 내각회의에서 독도를 일본 영토로 편입, '다케시마'로 명명하였다.

11) 연합국, 1946년 1월 독도를 한국에 반환하는 군령 발표

연합국 최고사령부는 1945년, 한반도 주변의 제주도·울릉도·독도 등을 일본 주권에서 제외하여 한국에 반환 시켰다.

12) 연합국의『구일본 영토 처리에 관한 합의서』"독도는 한국 영토"라고 규정

1950년 연합국은 다시 한번, 독도는 일본이 한국에 반환해야 할 영토라고 밝혔다.

13) 연합국, 샌프란시스코'대 일본강화조약'에서 독도 누락

미국은 일본의 맹렬한 로비로 인해 '대 일본강화조약'에서 독도를 누락하고 말았다.

14) 유엔군, 독도를 한국 영토에 포함

1950년 유엔군은 독도를 한국 영토로 인정하여, 한반도와 함께 방위할 수 있도록 했다.

3. 독도연대표

512년
- 신라 이찬(伊飡) 이사부(異斯夫), 우산국을 정벌

  신라 지증왕 13년 아슬라주(阿瑟羅州: 현재의 강릉) 군주 이사부(異斯夫)가 우산국을 정벌하여 울릉도와 독도가 신라에 복속됨.

1145년
- 『삼국사기』 편찬

  512년 우산국이 신라에 복속되었음을 서술.

1417년
- 울릉도 주민 쇄환(刷還)

  고려말~조선초 왜구가 노략질을 자행하자 섬 주민을 보호하기 위해 1417년 (태종17년) 조정은 무릉도(武陵 : 울릉도)에 주민의 거주를 금하고 거주민을 육지로 나오게 하는 쇄출(刷出)정책을 실시함.

1432년
- 「신찬팔도지리지」 편찬

  1432년(세종 14) 1월에 편찬된 조선왕조 최초의 지리서.독도에 대한 내용이 『세종실록지리지』(1454년)에 그대로 실림.

1454년
- 세종실록, 「지리지」 편찬.

  "우산(于山)과 무릉(武陵) 두 섬이 (울진)현의 정동쪽 바다에 있다." 의의: 우산도(독도)와 무릉도(울릉도)가 별개의 섬이고, 울릉도에서 날씨가 맑은 날에만보이는 유일한 섬은 독도임을 감안할 때, 우산도가 곧 독도이고 조선의 영토임을 증명함.

1625년
- 일본, 울릉도 도해 면허

  일본 도쿠가와 (德川)막부, 호키국(伯耆國: 돗토리번(鳥取藩)의 일부) 태수(太守)에게 요나고(米子)의 오야(大谷)·무라카와(村川) 양가(兩家)에 대해 울릉도 도해(渡海)를 면허.

1693년
- 안용복 일본으로 납치

  안용복(安龍福), 박어둔(朴於屯), 일본 오야(大谷) 선원들에 의해 일본으로 납치, 울릉도 독도가 조선땅임을 주장.

1694년
– 수토(搜討)제 실시

장한상(張漢相), 울릉도를 조사하고 삼척으로 귀환정기적으로 울릉도를 수토(搜討)하기로 결정

※울릉도 수토제도(1697~1894): 안용복 사건 이후 3년에 한 차례씩 관원을 파견하여 울릉도를 살펴보도록 한 제도

1696년
– 일본, 울릉도 독도 조업금지, 안용복 2차 도일(渡日)

– 일본 도쿠가와(德川) 막부, 울릉도 도해금지령을 대마번(對馬藩)에 전달– 안용복(安龍福) 등 울릉도에 출어(出漁)한 일본 어선을 추격하여 자산도(독도)까지 따라가그들을 쫓아냄.

1849년
– 프랑스 포경선(捕鯨船) 리앙쿠르(Liancourt)호, 독도를 발견하고, Rochers Liancourt(Liancourt Rocks)로 명명

1870년
– 일본, 독도가 한국 땅임을 자인

일본 외무성 관리 (佐田白茅 등), 울릉도와 독도가 조선의 부속이라는 사실을 재확인

– "죽도(울릉도)와 송도 (독도)가 조선 부속으로 되어 있는 전말"

※일본 외무성과 태정관이 지시한 조사사항에 대한 복명서인 「조선국교제시말내탐서(朝鮮國交際始末內探書)」에 기록

1877년
– 일본, "울릉도, 독도는 조선땅" 공식적으로 선언

일본 최고행정기관인 태정관(太政官), 지적 편찬상 문제가 된 울릉도 외 1도(독도)가 일본령이 아님을 내무성(內務省)에 지령– 태정관 지령: "품의한 취지의 죽도(울릉도)외 1도의 건에 대하여 일본은 관계가 없다는 것을 명심할 것"

1882년
– 울릉도 검찰

– 울릉도 검찰사 이규원(李奎遠) 일행, 울릉도를 검찰

1900년
– 대한제국 칙령 제41호 공포:울릉도(독도) 행정구역 편제

– 칙령(勅令) 제41호 '울릉도(鬱陵島)를 울도(鬱島)로 개칭(改稱)하고 도감(島監)을 군수(郡守)로 개정(改正)한 건(件)'을 제정 반포, 이 칙령 제2조에 울도군(鬱島郡)의 관할 구역으로 울릉전도 (鬱陵全島) 죽도(竹島)와 함께 석도(石島, 독도)를 규정

1905년
– 일본의 독도 강탈

- 일본, 1905년 2월22일 시마네현 고시 (島根縣告示) 제40호를 통해 소위 독도의 영토 편입을 고시

1906년
- 시마네현 민·관 시찰단. 울릉도 상륙
- 시마네현 민·관 시찰단이 울릉도에 상륙, 군수 심흥택(沈興澤)을 방문하여 독도가 일본 영토로 편입되었음을 알림.- 강원도 관찰사서리 춘천군수 이명래(李明來), 의정부 참정 대신에게 울도 군수 심흥택(沈興澤)의 보고를 재보고- 의정부 참정대신, 강원도 관찰사에게 지령 제3호로 독도의 일본 '영지지설(領地之說)'을 부인하고, 독도의 형편과 일본인들이 어떻게 행동하였는지 다시 조사 보고할 것을 지령

1910년
- 한·일 강제 병합

1945년
- 광복

1946년
- 연합국최고사령부지령677호
  연합국총사령부는 각서 제677호를 내려 일본에서 제외되는 섬으로 울릉도와 독도를 언급

1951년
- 샌프란시스코 강화조약 체결
  일본이 한국에 대하여 모든 권리, 권원, 청구를 포기하는 지역에 제주도, 거문도, 울릉도를 대표적으로 예시

1952년
- 평화선 선포
  「인접해양에 대한 주권에 관한 선언」(국무원 고시 제14호)을 공포(일명 평화선)-일본 정부, 평화선 선포에 항의함과 동시에 독도에 대한 한국 영유권을 부정하는 외교문서를 보내옴.

1953년
- 독도 경비
  1953년 4월부터 울릉도 거주민을 중심으로 간헐적인 독도 경비를 실시하다 1954년 4월 의용수비대 확대(33명) 개편

1953~1965년
- 한·일 간 독도에 대한 정부의 견해가 구술서의 형태로 왕복. 일본측 총4회, 한국측 총3회에 걸쳐 진행됨.

1954년
- 독도등대 설치

1954년 8월 독도등대를 설치 점등하고, 세계 각국에 등대설치 사실 통보

1954년 (1962년)
- 일본 정부, '독도문제 국제사법재판소 회부' 제의
  한국 정부 . 일본 정부의 독도문제 국제사법재판소 회부 제의를 거부

1956년
- 경찰, 독도경비임무 인수
  1956년 12월 독도 의용수비대의 경비임무를 국립경찰(울릉경찰서)이 인수하여 오늘에 이르고 있음

1965년
- 한·일 기본관계조약 체결
  독도문제는 제외하고 대한민국 정부를 한반도의 유일한 합법정부로 인정

1982년
- 독도 '천연기념물 336호' 지정
  1982년 11월 16일 동해안 지역에서 유일하게 바다제비·슴새·괭이갈매기의 대집단이 번식하여 독도를 천연기념물 336호 '독도 해조류번식지' 로 지정하였으며 1999년 12월 독특한 식물들이 자라고, 화산폭발에 의해 만들어진 섬으로 지질적 가치 또한 크고, 섬 주변의 바다생물들이 다른 지역과 달리 매우 특수하여 '독도 천연보호구역' 으로 명칭을 변경함

1977년
- 독도 '특정도서 지정' 관리
  1997년 12월 13일 제정한 '독도등 도서지역의 생태계보존에 관한 특별법' (법률 제5447호) 및 2002년 8월 8일 환경부 고시(제2002-126호)에 의해 독특한 자연환경과 해양생물이 다양하고 풍부한 독도를 유지하기 위해 특정도서로 지정

1988년
- 한·일간 신한일어업협정 체결

1999년
- 천연기념물 제 336호 독도천연보호구역
  독도를 '천연기념물 제 336호 독도천연보호구역' 으로 명칭 변경

2000년
- 독도리 행정구역 승격
  2000년 4월 7일 울릉군 조례 제1395호로 독도리가 행정구역으로 승격됨에 따라 독도의 행정구역이 종전의 경상북도 울릉군 울릉읍 도동리 산42~76번지에서 경상북도 울릉군 울릉읍 독도리 산 1~37번지로 변경

2005년
- 동북아의 평화를 위한 바른역사정립기획단 설치

 일본 시마네현, 소위 '죽도의 날' 제정우리 정부, '동북아의 평화를 위한 바른역사정립기획단' 설치

2006년
동북아역사재단 출범

2007년
- 일본 시마네현 소위 '죽도문제연구회', 『최종보고서』 제출

2008년
- 일본 외무성 홈페이지, 소위 "죽도" 문제를 이해하기 위한 10개의 포인트 게재

 7.14. 일본 중학교 사회과 학습지도요령 해설서에 독도 명기

 7.29. 국무총리(한승수)가 독도를 긴급 방문함

 8.01. 정부는 합동독도영토관리대책반을 설치

 8.14. 동북아역사재단 독도연구소 개소

 10.02. 국회 〈독도영토수호대책특별위원회〉를 구성

2010
- 국회의장(김형오)이 독도 방문

2011
- 국회 〈독도영토수호대책특별위원회〉가 독도회의를 개최
- 5. 2. 독도 주민 숙소 증축(5.2.) 준공식(8.5.)

2012
- 4. 11.시마네현 도쿄에서 첫 독도 영유권 집회
- 8.10. 이명박 대통령이 독도를 방문

2013
- 2. 5. 일본 내각부, '영토주권대책 기획조정실' 신설
- 시마네현, '죽도대책실' 신설
- 한국 외교부, 독도 동영상 제작 배부

2014
- 5. 31. 독도에서 제6회 지방선거 거소투표 실시

〈자료 국토교통부〉

4. 독도 명칭 변천사

우산도
《세종실록》〈지리지〉에서 울릉도는 '우릉도' 또는 '무릉도'라고 기록하였고, 독도는 '우산도'라고 기록하였으며 이후 19세기 말까지 사용됨.

삼봉도
성종시대(1469~1494)에 독도 모양이 먼 곳에서 보면 세 봉우리처럼 보인다고 해서 '삼봉도'라고 기록함(성종실록에서 보이는 삼봉도는 울릉도를 지칭하는 예도 있다)

가지도
정조시대(1776~1800)에 독도에 강치가 많이 산다고 해서 가지도(可支島)라고 불렀다. 하지만 '삼봉도'나 '가지도'는 일시적으로 보인 표현이고 공식 명칭은 여전히 '우산도'였다.

독섬
1882년 울릉도 개척령이 내려지면서 이전부터 왕래하던 전라도 주민들이 부르던 호칭. '독'은 '돌'의 사투리이다.

석도와 독도
독섬을 한자의 뜻을 취해 석도(石島)로 표기(1900년)하거나, 소리를 취해 '독도(獨島)'라고 표기(1906년)

512년	1476년	1794년	1900년	1906년
우산도(于山島)	삼봉도(三峰島)	가지도(可支島)	석도(石島)	독도(獨島)
신라시대 우산과 무릉 두 섬을 합쳐서 우산국으로 불렀습니다.	세 개의 봉우리로 된 섬이라는 뜻입니다.	독도에 서식하던 강치를 가지어(可支漁) 라고 표기했고, 가지어가 많다는 의미에서 가지도라고 불렀습니다.	독섬의 한자식 표기입니다.	독섬이 초기 이주민의 전라도 남해안 출신 사람들에 의해 독섬으로 발음되면서 독도로 표기가 되었습니다.

참고문헌

〈단행본〉

강무희 외, 『해양학회지』, 2002

강준식, 『독도의 진실(독도는 우리땅인가)』, 소담출판사, 2012

강지현 외, 『대한지리학회지』, 2008

경북대학교 울릉도·독도연구소, 『독도의 자연』, 경북대학교 출판부, 2008

경북대학교, 『독도의 자연』, 경북대출판부, 2008.

공우석 조도순, 『울릉도 및 독도의 지리적 특성』, 한국해양수산개발원, 2006

공우석·조도순, 『동해상 한국령 도서와 일본령 도서의 식물지리 분석』,
한국해양수산개발원, 2007

국립중앙박물관, 『가고 싶은 우리 땅 독도』, 2006

국토해양부 국토지리정보원, 『대한민국국가지도집』,2008

_____, 『한국지리지-경상편-』, 2008

_____, 『한국지리지-총론편-』, 2008

권혁재, 『한국지리(총론)』 제3판, 법문사, 2003

기상청, 『한국기후표』, 2001

김강일 외, 『울릉도 독도 일본 사료집2』, 동북아역사재단, 2013.

김규한, 『지질학회지』, 2000

김명기, 『독도의 영유권과 국제재판』, 한국학술정보, 2012.

김복철 외, 『독도 균열 발생에 따른 지반안정성 조사연구』, 한국지질자원연구원,
2006

김영구, 『독도문제의 진실』, 법영사, 2003,

김용식, 『울릉도 독도의 종합적 연구』, 영남대학교 민족문화연구소, 1998

김윤규·이대성·이경호, 『지질학회지』, 1987

김학준, 『독도는 우리 땅』, 해맞이, 2006.

김해경, 『태고의 신비 울릉도 독도』, 시계꽃, 2013.

김호동, 『독도·울릉도의 역사』, 경인문화사, 2007

나이토우 세이추, 권오엽 역, 『일본은 독도(죽도)를 이렇게 말한다』,한국학술정보, 2011

대한지리학회, 『독도문제 대책을 위한 토론회 자료집』, 조선일보사, 2005

대한지리학회·조선일보, 『독도의 지정학-독도문제 대책을 위한 토론회-』, 2005

독도본부, 『일본 교과서와 독도 위기』, 우리영토, 2012.

독도역사찾기운동본부,『독도 영유권 위기 연구』, 백산서당, 2003.

동북아역사재단, 『독도이슈 60년과 한국의 영토주권』, 2012.

박경근·황상일, 『지리학논구』, 2008

박동원·박승필, 『울릉도·독도 종합학술조사보고서』, 한국자연보존협회, 1981

박성용, 『독도·울릉도 사람들의 생활공간과 사회조직연구』,경인문화사, 2008

박인식, 『독도』, 대원사, 1996

박찬홍 외, 『대한지질학회·대한자원환경지질학회·한국석유지질학회·한국암석학회 제57차 추계공동학술발표회 초록집』, 2002

손승철 외, 『일본의 독도 연구 동향 분석』, 2014.

송휘영, 『일본 향토사료 속의 독도』, 선인, 2014

신용하, 『독도영유의 진실 이해(16포인트와 150문답)』, 서울대출판문화원, 2012.

_____,『독도의 민족 영토사 연구』,지식산업사, 1996

_____, 『신용하 교수의 독도 이야기』, 살림, 2012.

영남대학교 독도연구소, 『독도 영유권 확립을 위한 연구 3』, 경인문화사, 2011

_____, 『독도영유권 확립을 위한 연구 5』, 선인, 2013.

예영준, 『독도 실록 1905』, 책발, 2012.

오오니시 토시테류, 권오엽 역, 『독도』, 제이앤씨, 2004.

우한정·구태회, 『자연보호중앙협의회 자연실태종합학술조사보고서』, 1981

울릉군, 『울릉군 통계연보』, 1996

_____, 『울릉군지』, 2007

원병오·윤무부,『자연보존』, 1978

유미림, 『우리 사료 속의 독도와 울릉도』, 지식산업사, 2013.

유영한·송민섭, 『독도의 식생, 전국자연환경기초조사』, 환경부, 2006

윤유숙, 『역사와 지리로 본 울릉도 독도』, 동북아역사재단, 2011.

이승호, 『기후학』 기후학, 2007

이영현, 『독도를 구한 일본인, 하우넥스트』, 2014.

이예균, 『일본은 죽어도 모르는 독도 이야기 88』, 예나루,2005.

이우각, 『우리 섬 독도』, 퍼플, 2013.

이종석, 『독도수호전략연구』, 세종연구소, 2013.

이진명, 『독도, 지리상의 재발견』, 삼인, 2005

이창복, 『자연보존』, 1978

이현영, 『한국의 기후』, 법문사, 2000

임양재·이은복·김선호,『한국자연보존협회 조사보고서』 1981

장덕환·이근봉·장재덕, 『아름다운 섬 독도』, 시사한국화보, 2010

장윤득·박병준, 『독도의 자연』, 경북대학교출판부, 2008

전충진, 『여기는 독도』, 이레, 2011.

정재민, 『국제법과 함께 읽는 독도 현대사』, 나남출판, 2013

주강현, 『독도견문록』, 웅진지식하우스, 2008

차종환, 『겨레의 섬 독도』, 해조음, 2006.

최낙정 외, 『독도 가는 길』, 해양문화재단, 2008

최장근, 『한국영토 독도의 고유영토론』, 제이앤씨, 2014.

한국문화편집국,『독도이야기』, 이북스펍, 2014.

한국지질자원연구원,『독도 균열발생에 따른 지반안정성 조사연구』, 해양수산부, 2006

한국해양수산개발원,『독도 사전』, 2011,

한국해양연구소,『독도 생태계 등 기초조사 연구』, 해양수산부, 2005

한현철,『독도의 지정학-독도문제 대책을 위한 토론회-』, 대한지리학회·조선일보,
        2005

호사카 유지,『우리역사 독도(한일관계사로 본 독도 이야기)』, 책문, 2009.

환경부 자연보전국 자연정책과 편, 『독도 자연생태계 정밀조사』, 환경부, 2005

황상구·전영권,『자원환경지질』, 2003

황상일·박경근,『한국지역지리학회지』, 2007

사이트

경상남도교육청 독도교육 www.gne.go.kr
국가기록원 http://theme.archives.go.kr/next/dokdo/
국토지리정보원 www.ngii.go.kr
국회도서관 독도 dokdo.nanet.go.kr/dokdo
기상청 www.kma.go.kr
대구대학교 독도영토학연구소 dokdoterritory.daegu.ac.kr
대한민국 독도경비대 www.facebook.com/dokdocoastguard
대한민국 독도사랑협회 www.ddsr.or.kr
독도 - 네이버 지식백과 terms.naver.com
독도경비대 www.gbpolice.go.kr/dokdo/index.do
독도바르게알기운동본부 www.dokdo-love.co.kr
독도박물관 www.dokdomuseum.go.kr
독도본부 www.dokdocenter.org
독도수호국제연대 www.dokdonetwork.or.kr
독도신문 www.dokdotimes.com
독도아카데미 dokdoacademy.ulleung.go.kr
독도연구센터 www.ilovedokdo.re.kr
독도연구소 www.dokdohistory.com
독도의 진실 www.truthofdokdo.com
독도의용수비대 www.dokdofoundation.or.kr
독도재단 www.koreadokdo.or.kr
독도종합정보시스템 www.dokdo.re.kr
독도지리넷 dokdo.ngii.go.kr
독도체험관 www.dokdomuseumseoul.com
사단법인 독도수호연합회 dokdosuho.co.kr
사이버 독도 www.dokdo.go.kr
사이버독도닷컴 www.cybertokdo.com
영남대 독도연구소 dokdo.yu.ac.kr
외교부 독도 dokdo.mofa.go.kr
울릉군청 www.ulleung.go.kr
울릉도 독도연구소 dokdoknu.com
울릉도 · 독도 국가지질공원 geopark.ulleung.go.kr
한국관광공사 www.visitkorea.or.kr